今日の芸術

岡本太郎

〈太陽の塔〉1970年

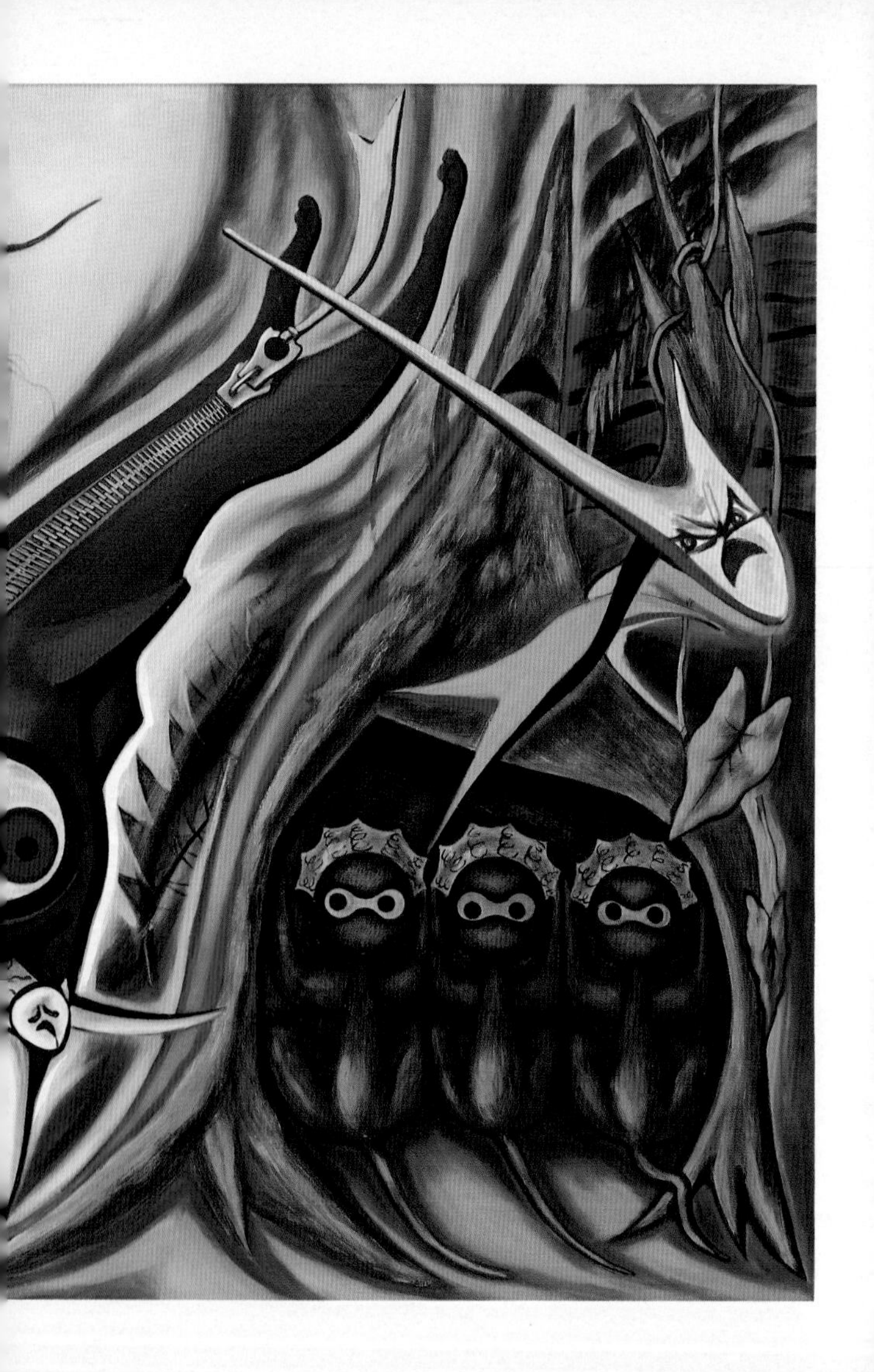

〈森の掟〉 1950年

〈哄　笑〉1972年

光文社文庫

今日の芸術

時代を創造するものは誰か

新装版

岡本太郎

光　文　社

序文「岡本太郎は何者であるか」

横尾忠則（画家）

岡本太郎さんが亡くなった時、太郎さん（と呼ぶほど親しくはなかったが、対談したり、個展のオープニングに来られたことがあった）の『今日の芸術』を想い出した。この本に何が書いてあったかはすっかり忘れてしまったが、大きい影響を受けたことだけは覚えている。それまでは芸術はこうあるべきだということに呪縛されていたのが、この本を読んでからは、「ナントカであるべきだ」ということから解放されて、もっと自由でいいんだ、太郎さんの言葉を借りれば、「芸術はここちよくあってはならない」とか「芸術はいやったらしい」とか「芸術は『きれい』であってはならない」とか「芸術は『うまく』あってはいけない」、「無条件でなければならない」というようなことであったと思う。

太郎さんが『今日の芸術』を書かれてから、かれこれ45年ほど経っている。時代もすっかり変って現代美術は特殊なものになってしまった。筆を持つ芸術など最早過去のものにされてしまったり、感動よりも観念、つまり知的に認識されるものになってしまった。

若い芸術家はいつの間にか思想家や批評家風になり、作品もプロパガンダ化され、内なる現実より社会的現実に興味を持つコンセプチュアル・アート全盛の時代を形成してしまった。こんな芸術の制度化された時代に岡本太郎が生きるということは非常に困難であった。当然『今日の芸術』も過去の遺物になってしまった。

太郎さんの死と同時にぼくはなぜか『今日の芸術』が読みたいと思った。本棚を捜してみたが、どこへ行ったのか、なかなか見つからない。なんとしても読みたいので、ぼくはぼくの文庫本を出してくれている担当者に、「あの本は光文社のカッパ・ブックスで出たんだから、ぜひ光文社文庫に入れて下さいよ」とお願いした。

そんなわけでこの本の序文をぼくが書く羽目になって、今それを書いている最中なのである。本当はもう一度読んで書くべきかも知れないが、読んでしまうと「ここは新しいが、ここは古い」みたいな解説をしかねない。芸術には古いも新しいもないはずだ。時代を超えて普遍的に存在しているかどうかが問題である。

去年より今年、今年より来年みたいに新しい概念と様式ばかりを求めた結果、今や現代美術は完全に閉塞（へいそく）状態で息もたえだえである。これみよがしのアイデアだけの作品が多い。もうそろそろ頭脳的な創造から、個の肉体を取り戻そうとする生理的な創造に一日も早く帰還するべきではないのだろうか。そのことに気づけば、自（おの）ずともう一度岡本太郎の書を繙（ひもと）きたくなるはずだ。

当時『今日の芸術』は大ベストセラーになって、芸術を愛し、芸術を志す者は大抵（たいてい）目を通したはずだ。太郎さんが何を言っているか知らないが、もう一度あの時の興奮を取り戻したいとぼくは思っている。いやもしかしたら現在読む方がもっと新鮮かも知れない。文庫本に上梓（じょうし）された最初の読者の一人になりたいとぼくは今から楽しみにしている。

わけのわからない文章になってしまったが、『今日の芸術』の文庫化に当たり、まさかぼくがこの本に関われるとは、45年前にはぼく自身想像できなかったことである。そんなことを考えると感無量である。

ピカソがかつてこんなことを言った。

「一枚の傑作を描くよりも、その画家が何者であるかということが重要である」

岡本太郎のあの時代のあの作品がいいとかいう専門家がいるが、全くナンセンスである。

「岡本太郎は何者であるか」。太郎さんほどピカソの言葉がぴったりの芸術家は日本にそういないのである。

初版の序

この本の中で、あなたはかつて耳にしたことがない、まったく思いもかけないこと、いままでの常識とは正反対のことばかりを聞かれると思います。

しかしよく読んでいただければ、私の言っていることのほうが、はるかに自然で真実であり、理の当然であることに気がつかれるでしょう。

私はこの本を、古い日本の不明朗な雰囲気(ふんいき)をひっくり返し、創造的な今日の文化を打ちたてるポイントにしたいと思います。

芸術を中心として話を進めてゆきますが、問題は、けっして芸術にとどまるものではなく、われわれの生活全体、その根本にあるのです。だから、むしろ芸術などに無関心な人にこそ、ますます読んでいただきたい。

私はここで、あなたと直接に、膝(ひざ)をまじえて語りあうような、らくな気分で話をすすめてゆきます。もし読んだあとで、納得できないふしがあったり、反対の意見があれば、どんどん、ぶっつけてきてください。そして明朗に、積極的に、おたがいの力でこれらの文化をもりたててゆきましょう。

一九五四年八月

岡本太郎

目次

第4章　芸術の価値転換　119

第5章 絵はすべての人の創るもの 141

第6章　われわれの土台はどうか　239

装丁・本文デザイン／鈴木成一デザイン室

第1章

なぜ、芸術があるのか

芸術というと、なにか華やかで高級なもののように思われています。しかしまた、わかったようなわからないような、まことに、とらえどころがない。どうしてこんなものが、この世にあるんだろう。それが世界に高く評価され、取引きされたり、またある人にとっては、全生命をつぎこんで悔いのない事業であったりする。こんなに人を惹きつけ、歓喜させ、また反発と絶望をさせる、芸術とは何なのか。

それについて、えらくわかったような顔をする人もいる。だが専門家とか先生なんていわれる人でも、互いにまったく反対な判断や、主張をしたりします。どっちが正しいんだか、何に基準があるんだか、すこしもわからない。すなおに知ろうとする人は、かえってふりまわされて混乱してしまいます。

また考えてみれば、べつだん「芸術」がなくても、またそんなものに無知でも、毎日の暮らしに事欠くわけではないし、けっこう楽しく生活できる。あれはつまり気どった教養であるにすぎないと思っている人もいるでしょう。そういった意味で、社会におけるデコレーションの役割、むしろ、ぜいたくと思われている面も、たしかにあります。

生きるよろこび

まことに、芸術っていったい何なのだろう。素朴な疑問ですが、それはまた、本質をついた問題でもあるのです。芸術は、ちょうど毎日の食べものと同じように、人間の生命にとって欠くことのできない、絶対的な必要物、むしろ生きることそのものだと思います。しかし、なにかそうでないように扱われている。そこに現代的な錯誤、ゆがみがあり、またそこから今日の生活の空しさ、そしてそれをまた反映した今日の芸術の空虚も出てくるのです。

すべての人が現在、瞬間瞬間の生きがい、自信を持たなければいけない、そのよろこびが芸術であり、表現されたものが芸術作品なのです。そういう観点から、現代の状況、また芸術の役割を見かえしてみましょう。

現代人は、部品になった

私はいま、芸術はけっきょく生活そのものの問題だといいました。

ふつうの人は、「生活」というと、働いてその日その日をなんとか食いつなぎ、余暇には適当な娯楽、といってもせいぜい映画や、プロ野球、プロレス、ボクシングを見たり、あるいはハイキングか、温泉旅行というようなレクリエーションをするくらい。そして翌日からは、また精を出して、食うために働く。それが、まああたりまえ、人間なみの生活だというふうに考えています。

なるほど人は、社会的生産のため、いろいろな形で毎日働き、何かを作っています。しかし、いったいほんとうに創（つく）っているという、充実したよろこびがあるでしょうか。正直なところ、ただ働くために働かされているという気持ではないでしょうか。

それは近代社会が、生産力の拡大とともにますます分化され、社会的生産がかならずしも自分本来の創造のよろこびとは一致しないからです。逆にただ生きるために義務づけられ、本意、不本意にかかわらず、働かされている。一つの機械の部分、歯車のように目的を失いながら、ただグルグルまわって働きつづけなければならないのです。

「自己疎外」という言葉をご存じでしょう。

このように社会の発達とともに、人間一人一人の働きが部品化され、目的、全体性を見失ってくる、人間の本来的な生活から、自分が遠ざけられ、自覚さえ失っている。それが、自己疎外です。

自分ではつかうことのない膨大な札束をかぞえている銀行員。見たこともない商品の記帳をするOL。世の中は自分と無関係なところで動いているのです。

一日のいちばん長い時間、単一な仕事に自分の本質を見失いながら生きている。たいていの人は、食うためだ、売りわたした時間だから、と割りきって平気でいるように見えます。しかし、自己疎外の毒は、意外に深く、ひろく、人間をむしばんでいるのです。

義務づけられた社会生活のなかで、自発性を失い、おさえられている創造欲がなんとかして噴出しようとする。そんな気持はだれにもある。だが、その手段が見つからないのです。

楽しいが空しい

現代人の生きがいのようになっている余暇の楽しみ、生活の趣味的な部分について考えてみましょう。

われわれの生活をふりかえってみても、遊ぶのには、まったく事欠きません。そして、ますますそういう手段、施設はふえるいっぽうです。だが、ふえればふえるほど、逆にますます遊ぶ人たちの気分は空しくなってくるという奇妙な事実があります。遊ぶにしても、楽しむにしても、ほんとうに楽しく、生命が輝いたという全身的な充実感、生きがいの手ごたえがなければ、ほんとうの意味のレクリエーション、つまりエネルギーの蓄積、再生産としてのレクリエーションはなりたちません。

身近な例で、たとえばプロ野球を見にいく。結構な楽しみです。いいチャンスに、ホームランが出る、また、すばらしいファイン・プレー。みんな大喜びです。胸がスーッとします。

だが、それがあなたの生きがいでしょうか。

あなたの本質とはまったくかかわりない。そのホームランのために自分の指一つ動かしたわけじゃなし、スタンドでの感激はあっても、やはりただ見物人であるにすぎないのです。まして、テレビでも見ているばあいはなおさらでしょう。ひとがやったこと、あなたは全人間的にそれに参加してはいない。けっきょく、「自分」は不在になってしまう。空しさは、自分では気がついていなくても、カスのようにあなたの心の底にたまっていきます。

楽しむつもりでいて、楽しみながら、逆にあなたは傷つけられている。言いようのない空しさに。

どんなに遊んでも、そのときは結構楽しんでいるようでも、なにか空虚なのです。自分の生命からあふれ出てくるような本然(ほんぜん)のよろこびがなければ、満足できない。自分では知らなくても、それは心の底で当然欲求されているし、もし、その手ごたえがつかめれば、健全な生活の楽しみが、自然にあふれ出てくるはずです。

自己回復の情熱

毎日、瞬間瞬間の自己放棄、不条理、無意味さ、バカバカしさ。社会が発達していけばいくほど、この矛盾の傷口は、いよいよ絶望的に大きくなっていきます。

くりかえしていいますが、ほとんどの人間はあきらめて、適当にやっています。だれでも、子どものときには、人生ってもっとすばらしいものだと思っている。大きくなったら、と夢想していた。にもかかわらず――毎日毎日の生き方がなにかほんとうではない。こんなものではないはずだ、とあせります。しかし、そういうふうに矛盾を感じる人は、きわめて感受性のすぐれた、良心的な人なのです。多くはそんな疑問さえもちえない。絶望的な状態です。そして知らずしらず自分をいつわりつづけている。

それにほんとうにぶちあたり、自分で解決しないかぎり、人間はいよいよスポイルされ、分裂的になっていくほかありません。自分自身が信用できない。まして他人なんか信じられるはずがない。惰性的で、無気力でありながら、しかし神経だけは奇妙にイライラしています。

自分自身に充実する。――電気冷蔵庫を置いたり自家用車をもって、生活が楽になる。そんないわば、外からの条件ばかりが自分を豊かにするのではありません。他の条件によってひきまわされるのではなく、自分自身の生き方、その力をつかむことです。それは、自分が創りだすことであり、言いかえれば、自分自身を創ることだといってもいいのです。

だが、どうやって？

それをこれからお話ししようと思います。私はそこに、芸術の意味があると思うのです。それは現代社会においてこそ、とくに必要な、大きな役割として、クローズアップされています。

それは一言(ひとこと)でいってしまえば、失われた人間の全体性を奪回しようという情熱の噴出といっていいでしょう。現代の人間の不幸、空虚、疎外、すべてのマイナスが、このポイントにおいて逆にエネルギーとなってふきだすのです。力、才能の問題ではない。たとえ非力でも、その瞬間に非力のままで、全体性をあらわす感動、その表現。それによって、見る者に生きがいを触発させるのです。

失われた自分を回復するためのもっとも純粋で、猛烈な営み。自分は全人間である、ということを、象徴的に自分の姿の上にあらわす。そこに今日の芸術の役割があるのです。

芸術の見方——あなたには先入観がある

「近ごろの絵は、何が描いてあるのか、わけがわからない」と言われながら、また今日ほど、芸術が深く生活のなかにしみわたり、切りこんでいる時代はありません。かつて「芸術」は、たいへん高度なもので、だれにでも理解できるとは考えられていませんでした。特権階級や専門家たちの独占物だったのです。しかし、ようやくその枠はふみ破られて、およそ芸術などとは無縁だと思われていた一般の人びとの生活に、ひろく食いいり、深くしみこみはじめています。

このようなありかたこそ、明朗な近代性です。しかも今日、芸術は新しい形式を創りあげることによって、かえって、真に人間の根源的なよろこびをとりもどし、いまだかつて見られなかった自由と強烈さを誇っています。

ところで、古い考えにわざわいされて、まだ芸術をわかりにくいものとして敬遠し、他人ごとのように考えている人があります。私は、このすべての人びとの生活自体であり、生きがいである今日の芸術にたいして、ウカツでいる人が多いのがもどかしい。

これは、なんといっても一般に、「絵とは、こういうものだ」という固定観念がしぶとく食いいって、純粋、率直な鑑賞をじゃましているからにちがいありません。たとえ自分では気がつかないでいても、人はいつのまにか古い習慣の無批判な虜になっているのです。

よほど、正直に判断しているつもりでも、また芸術についてべつだん考えたこともないから、偏見だとか固定観念などもっていないと思っても、じつは大人になるまで目にふれ耳にしてきたすべてが、知らずしらずのうちに、膨大な知識・教養になっているのです。それらは、物ごとにたいして目をひらく力にもなっています。しかしその反対に、ものを自分の魂で直接にとらえるという、自由で、自然な直観力をにぶらせていることもたしかです。もちあわせの常識で型どおりに割りきって見ようとする、わるい意味の通俗性と功利的な人生観をあたえ、かえって、人間としての純粋さを失わせることが多いのです。まして、時代おくれの教養にゆがめられているばあいには、なおさらのことです。

そんな常識や教養のうえに、のうのうと、あぐらをかいていてはしかたがありません。自足せず、つねに新しい問題に全身を打ちつけて、古いおのれをのりこえ、精神を新鮮にたもたなければ、いつのまにか不純で無用な垢が、目に耳に、そして心の中にまで、のっぴきならないほど、いっぱいにつまってしまうものなのです。

たとえば、花は美しい、富士山は結構だということは、常識として、子どものころから、ちゃんとつぎこまれています。だから花というと、ろくすっぽ見もしないで、「きれいだ」と、合言葉のように言ってしまったりします。女の子の花模様の着物なども、そうです。ほんとうの形の美しさも、色の調和もそっちのけにして、ただ「花」だからきれいなものと思いこんで、身につけているにすぎません。これは、一つの例です。のちほど、もっと突っこんでお話ししますが、事実は、さらにさらに複雑怪奇なのです。

近所づきあいや処世術などとちがって、純粋に直観しなければならない芸術鑑賞には、まず、このような不要な垢をとりのぞいてかかることが先決問題です。聞いたり、教わったりするんじゃなく、自分自身が発見する。自分の問題としてです。そうすれば自然に、自分自身で、ジカに芸術にぶつかることができるのです。ここで私は「芸術」の説明をするのではありません。私のつねに主張していることですが、芸術は絶対に教えられるものではないのです。芸術の学校なんて、オカシイ。芸術はすべての人間が生まれながらもっている情熱であり、欲求であって、ただそれが幾重にも、厚く目かくしされているだけなのです。力になることができるのは、それをはずすこと、そのキッカケ、方法をいっしょに考えることなのです。はずしたあとは、それぞれの実力で、自由に芸術を判断すればよい。きっと、「芸術がわからない」などというのが、どんなにバカげたことだったか、すぐに気がつかれるでしょう。そして、芸術こそ他人ごとでなく、自分自身の問題であり、生活自体だということがわかってきます。

「近ごろの絵は、なんだか、わけがわからない」とか、「私のガラじゃない」などと言っていた、会社員から学校の先生、郵便屋さんから八百屋の小僧さんにいたるまで、じつはほんとうは芸術家なのだということを、自分たち自身でりっぱに発見し、わからないと思っていた芸術が、なんだこんなものだったのか、と大根の尻っぽかなにかをながめる程度にはっきりつかめてくるにちがいありません。

だれでも、その本性では芸術家であり、天才なのです。ただ、こびりついた垢におおわれて、本来のおのれ自身の姿を見失っているだけなのです。いずれにしても、現在を不毛にし、生活を味気ないものにしている、よけいな夾雑物（きょうざつぶつ）を切りすてることこそ急務です。

これは、いちおう、だれにでもわかっていただける理屈ですが、さて何が垢であり、また、具体的に、どうすれば、その不純物をとりのぞくことができるか、——これが問題です。

章を追って、一つ一つ、問題点を明確にとりあげ、あらゆる角度から不純な固定観念をぶち破っていきましょう。

こうして得た芸術にたいする自覚によって、自由と、生きるよろこびとをつかみとり、すべての精神が明朗な自信をもって現実にぶつかり、それをのり越えて、たくましくうちひらけていくことを期待します。

第2章

わからないということ

なににしても、まず、「わからない」というのは困ったことで、これをはっきりさせてかからなければ、どうにもならない。話をすすめていくことができません。

近ごろ、問題になっている絵の多くが、今までの常識やキレイゴトではただちに判断できない、ただ丸や三角形や、もやもやしたシミのようなもの、あるいは絵の具をたらしたり、入りまじった線だけだったり、また、とりとめのない、夢のような情景、はてはヘタクソな子どものラクガキみたいなものなどで、どうも、わからないと考えている人が多いようです。

だが芸術は、むずかしいとか、わかるわからない、などというものではないのです。バカげた偏見で、そう思いこんでいるだけです。現代芸術を理解する第一歩として、まず、この点からお話ししましょう。

「八の字」文化

符丁(ふちょう)の魔術

近ごろは、あまり見られなくなってきたようですが、それでも料理屋とか古風な家などにいくと、ついたて、ふすま、のれん、タバコぼん、うちわなど、ちょっとした工芸品のすみにまで、よく八の字のような形が描かれたり彫ってあったりします。

やや突拍子(とっぴょうし)もないことを言いだしたようですが——なんだかおわかりですか？

この八の字は、富士山です。おそらく、これを見てわからないなどと、首をかしげる人はいないでしょう。「あたりまえだ、あれは昔っから富士山にきまっている、いまさらそんなことは問題にならないじゃないか」と言われるかもしれません。だが、考えてみれば奇妙なことです。

この八の字からは、自然の富士山のなにものも感じとることはできません。大きな山の実感をとらえてあるわけでもなければ、富士の独特な美しさが写されているわけでもない。新しい絵は何が描いてあるのかサッパリわからないと言いますが、八の字だって似たようなものです。しかし、これだと安心して、どこからも文句が出ない。だれも変に思わないのは、この約束ごとをみなが知っているからにすぎません。

つまり、絵ではなく、一種の符丁、合言葉です。「八の字」——富士山——結構なもの、と文字のようにすらすら読めて、納得がいくだけの話です。なるほど、なにもわからないことはない。が、しかしいったい、なにがわかったというのでしょう。

この無内容なものにたいしては、いまさら、だれも憤慨したりはしません。形式的に、型どおりの場所に、たんにあるというだけのものだからです。新しい絵のように、現実生活にするどく働きかけてくる、切実なものにたいしてこそ疑問をもったり、理解する・しないという問題がおこるのです。もちろん、お料理屋の廊下などで、やたらに芸術的感動に打たれたりする必要もないので、それはそれでよいのかもしれませんが、こういうものがとかく芸術と混同される傾向があるから困ります。

これは象徴的な例ですが、八の字的形式は、意外にひろく絵画の世界にはびこっているのです。

たとえば、「鯉の滝のぼり」にしても、「竹に雀」にしても、そのほか松だの虎だの達磨だの、私たちがしょっちゅう床の間でお目にかかっている画材は、形式はずっと複雑化していますが、やはり八の字に毛がはえた程度の符丁にすぎません。

家を建てれば、要不要にかかわらず、かならず床の間という型どおりの場所をもうけます。そこにまた同じように型どおりの、この類の符丁を、掛物としてブラさげる。そうしておけば格好がついた気になるというわけです。はじめから鑑賞などということはどうでもよいらしい。

自分が好きだから、とか、ほしいから、とかいうのではなく、世間体と見栄だけで環境をつくる。生活自体が、おのれ自身の生きた現実を土台にしていないのです。この惰性的な、実質をぬいた約束ごと、符丁だけで安心している雰囲気は封建日本の絶望的な形式主義です。それが、どれほど生活を貧しくしてしまっているかわかりません。私は、これを「八の字文化」と、さげすんで名づけるのです。床の間式の日本画などは、このよい例です。もちろん、これは今日積極的に生きつつある、明朗な近代人の生活感情ではありえません。さいわい、近ごろは一般も、このような書画はもう過去のものだとかたづけているようです。それでは「八の字」の問題は、このようにして解消していくのでしょうか。それなら、話はまことに簡単ですが、どっこい、そうはいきません。まだまだ、とんでもないところに、ながながと尾を引いています。いかにも芸術品のように思われている油絵にしても、じつはまったく同様のことが言えるのです。

今日の「八の字」芸術

「モダンアートは、わけのわからぬしろものだ、あんなのは絵じゃない」などと仔細(しさい)らしい顔をする手あいにかぎって、「静物」や「風景」や「裸婦」なら、安心して見ているようです。ところで、よく観察してみれば、ここにもまた奇妙なことが、なんの疑いも持たれずに通用しているのです。

たとえば、「静物」といえば、かならず机の上にリンゴか何かがころがしてある、いかにもむぞうさに。——すなおに並べたのではダメで、セザンヌ（一八三九—一九〇六。印象派(いんしょうは)画家）がやったようなころがしかたをしないと、ありがたみがないらしい。——また俗にいう〝油絵のような〟「風景」だったり、すっ裸の女が、はでな布地をはりめぐらした古風な寝台や椅子(いす)の上にゴロゴロしていたり、まるでこういうものでないと油絵にはならないと思いこんでいるようなありさまです。

まったくバカバカしい話です。いったい、あなたの机の上には、いつでもあんなにわざとらしくクダモノが、いくつもいくつもころがしてあるでしょうか。また、お宅ではお母さんやお姉さんが、恥ずかしがらずに、すっ裸でごろごろしていますか。

こういうモチーフは、そもそも日本に油絵が輸入されたころの、ヨーロッパの十九世紀自然主義の画材で、それが明治、大正から今日まで何十年ものあいだ、あきもしないで、ながながと盲目的にくりかえされてきたのです。

これらは、それを生みだしたヨーロッパの市民生活には、時代的な意味もあり、現実感もあったのです。たとえば、裸体画について言いましょう。西洋の建築は部屋にはいって、いったんドアをしめてしまうと、絶対に自分だけの天地です。神さまだってのぞくことはできない。ここでは、夏の暑いあいだなど、じじつ、人びとはまっ裸で生活しています。恋愛の秘戯も奔放な肉体の饗宴です。つまり裸体は、したしい生活のうえにあるモチーフなのです。

ご存じのように、ヨーロッパにはギリシャ、ローマの古代から肉体賛美の伝統があります。オリュンポスの神々の姿をはじめ、競技者のたくましく均整のとれた肉体は、美と徳の典型でありました。ところが、やがてキリスト教がさかんになると、その禁欲的な精神は、肉体を罪の落とし穴として忌み、卑しめました。そして千年あまりの久しい肉体侮蔑の時代のあとに、ルネサンスをむかえます。これは古典文化の再興であり、人間の地上的な生活の謳歌です。解放された豊かな肉体を誇示するという風習がふたたび表面に出てきたのです。この時代のすぐれた芸術家、ボッティチェリ、ダ・ヴィンチ、ミケランジェロなどは、いずれもたくましい豊かな裸体を表現し、それから後の西洋裸体芸術の伝統をうちたてました。

ところがわが国では、事情がまったくちがいます。障子でも、ふすまでも、すうっと音もなくあけられてしまう。しかも、うっかりするとフシ穴や破れ目があります。これが、どれほど日本人の生活をせせこましくしていることでしょうか。イジイジとまわりを気にしたり、たがいに私生活をほじくりあい、アラを見つけててがらにしたり、じつに、日本文化にとって、フシ穴、破れ目こそ運命的だというわけです。こんな生活環境では、どうもあぶなっかしくて、たとえ家じゅうの人が出かけて自分一人きりだとわかっていても、あるいは、なにか事件でもおこって近所が全部出はらってしまったとしても、女のひとが安心して、すっ裸になって座敷に寝ころんでいるというわけにはいきません。性行為のばあいも、つねに、人目をはばからざるをえません。もちろん、われわれ日本人にだって裸は根本的な現実です。しかし、いわゆる「裸体画」に見られるような生活形式はないのです。

このように、われわれの生活感情にないモチーフを、型として持ってきて、それが自然だとか写実主義だなどと思いこんでいるのはコッケイです。

自然主義というのは、ほんとうは、西欧十八世紀までの、実生活から浮いてしまった貴族文化の絵そらごとを否定する精神からおこったのです。レアリスム——写実主義を主張した有名なギュスターヴ・クールベ（一八一九—七七）は、「自然の中にこそ美がある。それは現実的なもののうえに、さまざまの形として見いだされるのだ」と言っています。だから、それまでの絵画のように神話だとか、貴族や英雄の栄光などという非自然的だったり、民衆の生活から浮きあがったものを描くことをやめて、実生活のなかにどこででも見うけられる、きわめて散文的な画材をとりあげはじめたのです（43P、図1）。さらに印象派の画家たちも、机の上にごくむぞうさにころがっているリンゴだとか、平凡な風景、身ぢかな、ふつうの女性の裸などの、したしい自然な美しさを、神秘化することなく描きました（43P、図2）。これらの自然主義は、十九世紀の市民階級の自由獲得の歴史に並行しており、その精神が芸術にあらわされたものです。だから、人びとを打つ時代的な意義があったのです。

日本でも、明治時代に、このような西洋画をはじめて取りいれ、型どおりの日本画とはガラリとちがった新しい技法で、静物だの風景だのを描いたときの感動は十分わかります。またその後、黒田清輝などがはじめて裸体画を発表して問題となったのですが、それまで、いたずらに淫であり、不道徳であるとして卑しめられていた裸体画を芸術として押しだした、肉体解放のよろこびは察せられます。その自由感と感動は、芸術につながっているのです。

しかし、今日ではもはや、話がちがうのです。二十世紀の自由な精神は、さらに積極的に新しい課題にむかってつき進んでいます。この時代に、百年も前と同じようなことを、後生大事にくり返してみせているのでは、けっして芸術として人を打つことはできません。ところが、「八の字」もいろいろと手がこんできて、深刻そうなポーズなどが加わると、鑑賞者も批評家も、さらに作家までが、簡単に芸術だと錯覚してしまうからこまるのです。空虚であり、生活から浮いているからこそ、かえって美だ、厳粛だと考えるのです。

〔図1〕クールベ「石割り」1849年

〔図2〕ルノワール「コンサート」1918〜19年

ちょうど「山水」といえば、かならず古風な中国の風景で、髭をはやして長い杖を持った仙人が、もしわが国だったら、たちまち地震でくずれおちてしまいそうな奇岩奇峰のあいだにさまよい遊んでいるという、見たことも聞いたこともないような、非生活的な図がら。それが、久しいあいだ、えらそうに床の間で、わがもの顔をしていたのと同様な現象で、要するに、やはり「八の字」の喜劇です。これも芸術とは無縁な、ただ「絵でございます」という、符丁にすぎません。それはいかにも、おのれを無にした謙虚さのごとく見せかけながら、小ずるく型を利用する封建的な、功利主義的な根性です。この退屈な、非本質的な生活が、その非芸術とともに、暗く重い煤煙の層のように、はてしなく絶望的に日本の全土をおおっています。だが、「八の字根性」はもうこのへんで、ご破算にしなければなりません。いかに泥くさくても、みにくくても、自分自身の生活の土台から、すべてをつかみとり、推しすすめていくべきです。

ここで一度、正直に自分の心を振りかえってみてください。こり固まった趣味人はべつとして、現実のうえに立って生活している人が、ああいう時代錯誤の紋切り型に、根底からゆりうごかされ、感動を呼びさまされたり、それから問題をひき出されたりすることが、いったいあるでしょうか？

新鮮な時代の気分を身につけた人たちは、かえって、何が描いてあるかわからないといわれる新しい絵画のほうに、はるかに情熱を感じ、端的な共感をいだいておられるにちがいないのです。こじつけではありません。それが今日の生活感情であるからこそ、あのように強力にひろがってきているのです。

わからない絵の魅力

さて、もうすこしべつな角度から、わかる・わからない問題を検討してみなければなりません。**抽象芸術**（ちゅうしょうげいじゅつ）**（アプストラクト）**

展覧会に行っても、富士山とか美人画などは「ああ、きれいだ」と思って、そのまま安心して通りすぎてしまいます。ところがなにか、わけのわからないという絵にぶつかって、「どうもわからない」と言いながら、それにひっかかり、つい、その前に立ちどまってみます。会場の外に出てからも、かえってその絵のほうが印象として、あざやかに残るばあいがあるのに気づかれたことはないでしょうか。

道で、ふとすれちがった女のひとがきれいだと、たのしい。が、ものの十歩もいくうちに、ケロリと忘れてしまいます。ちょうどそのように、きれいな風景画も、たいていは、ただその場かぎりです。

きれいでもないし、うまいとも思えない、だからわからないという絵が、もしほんとうに、すぐれた作品だったら、わからないながらも、それにふれたつぎの瞬間から、心の目がひらけてきます。じじつ奇妙と思われる、新しい絵を見てから、今まで安心して楽しんでいたふつうの絵がなにかつまらなく見えてきたという人が多いのです。人は気がつかないでいるかもしれないが、芸術は生活に物理的といえるほど強大な力と変化をあたえるのです。知らないあいだに、すべてのものの見方、人生観、生活感情が根底から引っくりかえり、今まで、常識や型にしたがって疑いもしなかった周囲が、突然なまなましく新鮮な光にかがやきはじめます。自分では、あくまでわからないと思いこんでいても、すでに正しく理解しているのです。

ここで具体的に、モダンアートについて考えてみましょう。歴史的ななりたちからいって、これは二つの傾向に大きく分けられます。一つの系列はアブストラクト――抽象芸術であり、他の一つはシュールレアリスム――超現実派です。まず抽象芸術のほうから、お話ししましょう。

抽象画は、今までの絵画のような、自然を写した形態は全然もっていません。幾何学的な丸・三角・四角、あるいは、何々だ、ということのできないようなあらゆる形態、それに入りまじる線などが画面を占めています。色彩もそれに応じて、リンゴの赤とか樹木の緑というような説明的意味をはなれた、自由さをもっています。

このような、ナマな自然との決別は、ちょっと考えると現実生活からの浮きあがりであり、まえに私が述べたことと矛盾するように思われるかもしれません。しかし、ここには、りっぱな生活的必然性があるのです。それについては、おいおい説明していきます。

約束ごとをはぶいて、まったく自由に構成した抽象画は、今までの絵から見れば、はるかに無条件だと言えます。たとえば、バラの花が匂うように描いてあるとか、水もしたたるような美女だとか、ハイキングしたいような風景だからといって、その絵をよいとするのは、作品の芸術的内容とは無関係なことです。「名所絵はがき」のように、写真としてはつまらなくてもそれを通して想像する景色に思いをはせて、あこがれるようなものです。また、いかに真にせまって描いてあるかという、技法について感心したとしても、これは芸術の問題ではありません。

こういう、絵画にとって本質的でない条件をぬきにして、純粋に画面の構成要素である色と形の、合理的な配置、そしてそれら相互の調和による純粋な美的感動を創造しようというのが抽象画の目的です。だから、これを純粋絵画(じゅんすいかいが)ともいうのです。絵のよしあしはわからないけれど、描いてある娘さんにはホレボレするとか、リンゴがいかにもうまそうだとかいった、ヨダレのたれるような連想をいだかせないことは確かです。

つまり抽象画においては、何が描いてあるのか、どんな意味があるのか、というような質問自体がなりたたないのです。芸術はナゾナゾではない。だから、よけいな絵ときなどはやめにして、すなおに画面そのものにぶつかってみて、そこから直接的な感動をうけとればよいのです。あらゆる偏見を捨てさって、あなた自身がすきか、きらいか、深く惹きつけられるかどうかが問題です。

超現実派（スュールレアリスム）

さて、何が描いてあるのかはいちおうわかるが、どうしてあんな奇妙な扱い方や取りあわせをするのか、それがわからないというばあいがあります。たとえば、ファスナーのようなものがちらばっていたり、空中に獣のような人間の顔と胴体がとんでいたり、ぐにゃぐにゃに溶けた時計など、まるで夢の中のようで理屈にあわない。これが、一般に超現実派と呼ばれる傾向の絵です。

「愚にもつかぬ」「狂気だ」「あれでも絵か」などとバカにする人もあり、また、その中にたいへん深刻な意味や思想が隠されているものと決めこんで、捜しあぐねる人もあります。

超現実主義は理性、道徳、美などという、人間生活の上っ皮（うわかわ）にあって、時代と場所によってつねに移りかわったり、規準を失うようなものを徹底的に疑い、人間性の奥底にひそんでいる本質をえぐり出そうとしました。

ひらたく言えば、常識や「八の字」的な約束ごとにゆがめられない、人間の本来の欲望や感動をなまなましく作品に盛りこもうとしたのです。したがって、これは美だとか、理性、道徳などをのりこえることを信条としています。抽象画とは反対に非合理的であり、反美学的な立場です。

この派の創始者アンドレ・ブルトン（一八九六—一九六六）は、「超現実派とは自動描法である」と言っています。それは「言語、記述、その他の方法によって、思惟の実際活動を表現する。それは理性、美学、または道徳的観念にさまたげられることのない思惟の表現である」というのです。

たとえば、一本の線をひくにしても、いろいろな不純な思考にわずらわされず、まったくすなおに自然に描くということは、よく考えてみればたいへんむずかしいことです。うまく描いてやろうという野心だの、こういう形が美しいとか、また有名な作家がこんなふうに描いていたから、などという観念がはたらいたり、なんども描いているうちに腕のなれという習慣的なものがはいってきたり、いつも私たちの心を支配している、さまざまの常識、固定観念が、たった一本の線をひくときでさえ、のさばって出てきて、真に独自で純粋な表現をさまたげます。

まして、その線がいくつも組みあわされ、形態になり、意味・思想などという複雑なものになったばあいには、ますます純粋であることはむずかしくなってくるのです。

こういうことから、描いている絵がすぐ型になったり、だれかの皮相なマネごとになったり、モデルにかかわって、おもしろくなくなったり、また、わるい癖が出てきたりするものなのです。まことに、いやなことです。正直で神経質な人たちは、そんなときに自分でいやになってしまうのです。

この固定観念から、おのれを解放するためには、強固な意志と、適切な方法が必要です。超現実主義者たちは垢をとり去ろうとして、いろいろ試みました。そして、夢や狂気の世界などに、常人よりもっと純粋な人間像、精神生活の本質を発見したのです。

あたかもオーストリアの精神病医学者ジクムント・フロイト（一八五六―一九三九）の精神分析学説（せいしんぶんせきがくせつ）が、それらの領域に新しい照明を投げあたえました。常識・固定観念・処世術などにしばられている人間は、多かれ少なかれ、みな無意識のうちに表面をつくろい自分自身をおさえています。芸術の対象は、その不自由な偽（いつわ）りの衣をぬぎすててしまったところにあるはずです。たとえば夢の世界では、大人でも無邪気に濃い想像（イマジネーション）の世界にあそぶことができるので、そんなときこそ常識でおさえつけている力の弱まったすきをくぐりぬけ、底にかくれていた人間本来の欲望やイメージがあらわに浮かびでてくるのです。このような自分自身にもはっきりわかっていない心の奥底に生きつづけている意識（精神分析学ではこれを下意識と言います）のほうが、世間体だの常識などによって、むりにゆがめられた意識上のものより真実だ。だからこれを直接に表わすことが、もっとも純粋で正しい芸術表現だと言うのです。超現実主義は、たんに夢の世界とか狂気の世界などにとどまらないで、あらゆる技術をつかい、思いがけない組みあわせによって、新鮮なドラマをつくりあげます。つまり人間本能の非合理性を追究したのです。

　それはさておき、理屈にあわないからつまらないとか、ふざけているなどということは、絶対になりたたないことです。むしろ人間精神の根源は、そのような非合理性にあると考えられます。

　われわれの精神は、つねに理屈では割りきれない、神秘的なイメージや物語で豊かにうるおされ、つちかわれています。幼いころ、濃い夢をむすばせてくれたアラビアンナイトやシンデレラ、竹取物語、桃太郎など、それらは大人になった今日のわれわれをささえているのです。ここでは、カボチャが黄金の馬車になったり、夢のように美しいお姫さまが、竹のフシから生まれてきたり、さてはアラジンの魔法のランプ、空飛ぶ絨毯（カーペット）など、これらはふつうでは考えられない、理屈にあわない超現実的なイメージだからこそ感動的なのです。

さらに、あらゆる民族文化の背骨になっている神話・伝説は全部が非現実的です。種々さまざまな化（ば）けものの類や、想像を絶した伝統的な夢ものがたり。

また仏像などで顔が十一もあったり、体から千本の手がニョキニョキはえ出ているのを見ても、べつだん理屈にあわないからと憤慨せず、むしろ美しいと、ありがたがるのです。これらは、いずれも人間精神のギリギリの表現であり、その結晶であって、ただの写実よりもはるかに強く私たちに迫ってきます。

どうして、そういうものを、われわれの同時代人が新しくつくったときにだけ、奇妙にケチをつけたり、わかる・わからないなどと、よけいな心配をするのでしょうか。遠い昔の物語よりもはるかに現在的で、切実です。過去のできあいのイメージにおぶさるのでなく、豊かな精神で自分たちの新しい神話・伝説をつくるのが芸術であり、また生活なのです。できあいのものなら、やすやすと認めようとする、奴隷（どれい）的な根性からぬけだして、新しい神話をたくましく創造していくべきです。

以上、新しい芸術を便宜（べんぎ）的に、抽象画と超現実主義の二つに、はっきり分けてお話ししましたが、もちろん、形式的にも内容的にも両者のあいだにあり、単純には区別できないものも多いのです。

鑑賞と創造の追っかけっこ

さて最後に、絵自体については、べつだん、なにもわからないことはないが、よい絵なのかどうか、つまり「価値の判断がつかない」というばあいについてお話しして、この問題をおわることにしましょう。

自分には芸術がほんとうにいいか悪いかわからないという人は、ずいぶんいます。そういう人の多くは、わかろうとしていろいろ人の意見を聞いたり、手引書や解説書を読んでみたり、たいへん努力しているのです。だが、さまざまな知識を頭につめこめばつめこむほど、ただそれらに引っぱりまわされるだけで、かえってかんじんの自分自身を失ってしまい、ますます、わけがわからなくなってしまうという人が多いのです。自分を失っては、どれほど勉強しても、知識をとり入れても、絶対に理解に到達できません。この本にたいしても、もし新しい絵の解説を期待しておられるとしたら、まちがいです。さきほども言ったとおり、これはけっして、鑑賞のための手引書でも案内書でもありません。芸術には教えるとか、教わるとかいうようなことはなにひとつないのです。ただ、私はこの本全体をつうじて、あなた自身の奥底にひそんでいて、自分で気がつかないでいる、芸術にたいする実力をひきだしてあげたい。それがこの本の目的なのです。

よく、絵を見ていて、「いいわね。あたしにはわからないけれど」と言う人がいます。小説や映画についてはあまりこういうことは言いませんが、絵画や音楽のばあい、よく聞く言葉です。もっとも、謙虚に言うときもあるし、逆にテライ、裏がえしの虚栄でそんなことを言う人もありますが。どっちにしても無意味な言葉です。

「いい」と思ったとき、その人にとって、そう思った分量だけ、わかったわけです。あなたはなにもそれ以外に、わからない分など心配することはありません。

いつでも自分自身で率直に見るということが第一の条件です。そして何かを発見すれば、それはまず、あなたにとって価値なのです。絵はクイズのように、隠された答えをあてるために見るのではありません。白紙でどんどんぶつかっていき、それによって古いおのれを脱皮し、精神を高めていくべきです。今まで、よいと思っていたものが案外つまらなくなり、かえって無関心だったものに急に情熱がわいてきたりします。たとえ同じ作品にたいしても、見るほうが積極的になり、高まれば高まるほど、その深さと高さがそれに比例してわかってくるのです。

すぐれた芸術家は、たくましい精神で、つねに前進し、新しい創造をしています。当然、それは持ちあわせの常識では、ただちに判断できません。つねに自分の固まってしまう見方を切りすて切りすて、めげずに、むしろ相手をのり越えていくという、積極的な心がまえで見なければ、ほんとうの鑑賞はできません。けっこう、わかったつもりでいても、新しい芸術創造は、さらにさきにつき進んでいたりします。つまり、創造と鑑賞は永遠の追っかけっこです。この驀進（ばくしん）のなかに芸術と、その鑑賞の価値があるので、とどまって固定的に理解されるものではないのです。

だから、虚栄心からわかったようなポーズをとる必要もないし、またわからないから自分には鑑賞能力がないなどと早のみこみして悲観したり、自分とは無縁なものとして敬遠してしまってはならないのです。

だいぶ前のことですが、私は東京の日本橋髙島屋（にほんばしたかしまや）のショウウインドウを構成したことがあります。八つの窓をそれぞれ型やぶりの趣向でかざりました。

あでやかなマネキン人形に丁髷（ちょんまげ）をゆわせたり、裸の女の体のまわりに金魚をおよがせたり、ジャガイモのスカートに大根のオッパイ、目笊（めざる）の顔でネズミと格闘する奥さん、体じゅうから無数のハンカチがふき出た人間などなど、奇想天外の構想なので、場所がらもあり、連日大ぜいの人だかりができました。

公開した最初の日は雨ふりだったのですが、中年の商人ふうの人や、買物かごをさげたおかみさん、子ども、お婆（ばあ）さんなどまで、傘（かさ）をさしたまま長いあいだ立ちどまって、「なんだか、わけがわからない」「変だねえ」などと言いながら、ながめていました。あきれたような顔をしたり、ニヤニヤしたりしています。

こういう人たちは、わざわざ展覧会まで絵を見にいくような人たちではありません。芸術などを、意識して問題にしてはいないでしょう。しかし、だからこそ、かえって素直に芸術にふれるのです。こういう人たちは、ほんとうに「わからない」つもりでいます。しかし、もしそうだったら、雨の中を傘をさして、二十分も三十分も立って見ているはずはありません。つまり、生活的にちゃんとわかって、新しい時代の感動奥のその奥のほうあたりでは、おもしろがってケラケラ笑っているのです。デパートなどという、もっともポピュラーな場所で仕事をすることによって、こういう人たちに、じかに触れたことは、なによりもうれしいことでした。

以前、池袋の駅前広場のど真ん中に、クリスマスとお正月の祭りを象徴した、巨大な塔（メリーポールと命名されました）を作りました。三十メートルの高さ、樹のような、生きもののような。原色の窓がさまざまな形で外にひらいて、夜にはそれがキラキラと輝きます。

ただ彫刻だといって展覧会に出品すると、わけがわからないといわれますが、かえってこういう大衆がうずまいている実生活の場所では、直接に、無条件にうけいれられるのです。それは芸術の本質である、祭りのよろこびをうちだしているからです。

第3章

新しいということは、何か

新しいという言葉

そのほんとうの意味

新しい芸術について語り、芸術は、つねに新しくなければならないと主張するまえに、「新しいということは、何か」という問題をはっきりさせたいと思います。

まず、新しいという言葉そのものについて、考えてみましょう。意外にも、大きな問題をふくんでいます。だいいち、この言葉の使い方に、混乱が見られるのです。たとえば、新しいということは、無条件に清純で、ちょうど酸素のように、それがあって、はじめて生きがいをおぼえるような、明かるい希望にみちたものです。

ところで、また、これが逆によくない意味で使われることがあるのは、ご存じのとおりです。つまり、また無条件に、なまっちょろくて未熟、確固としたものがない、軽佻浮薄の代名詞にもなるのです。

おなじ言葉に、このような二つの相があり、反対の価値づけをされています。一方にとって強烈な魅力であり、絶対的であればあるほど、それだけまた一方には、対極的に反発し、悪意をもつ気配も強いのです。これが抽象語におわっているあいだは問題はないのですが、いったん社会語として、新旧の世代によって対立的に使い分けをされはじめると、思いのほか深刻な意味あいをふくんできます。いったい、どういうわけで、どんなぐあいにこの対立が出てくるか、見きわめる必要があります。

新しさをほこり、大きな魅力として押しだしてくるのは、それを決意するわかい世代であり、このもりあがりにたいして、古い権威は、既成のモラルによって批判し、遮断(しゃだん)しようとするのです。

もちろん、今の権威も、かつてはそれ以前の権威を否定して出てきた新しいものだったのです。つまり、つねに若い世代は古い権威を打ち倒し、それにとって代わろうとする。古い側は、おのれを守るために、この伸びてくる新しいものを危険視し、押しつぶそうとするのです。たとえ、そのような敵意を意識していないとしても、おたがいの無理解は運命的です。

若さが、あまえて、ふわふわしているあいだはいい。しかし、ほんとうに何かやろうとしたり、自分の考え、仕事をぶつけていこうとすると、意外に、かならず強い抵抗にぶつかります。その壁はあつい。

若者の情熱は新しい夢にむかって燃えあがります。それが筋のとおったことであり、十分実力があったとしても、今までなかったこと、新しいことであるという理由で、なかなか通用しない。「青二才の夢」だとか、理想論だとかで、かたづけられてしまいます。

「なまだ」とか、「いい男だが、若いよ」なんて、まるで恥ずべきことのように言われる。それでも断固として主張し、ひるまずぶつかっていけば、「若いくせに生意気だ」と頭からどなりつけられるくらいがオチでしょう。

このようにいつでも判断の対立があり、そのぶつかりあいの中でこそ、新しい価値が創造されるのです。歴史的に、どっちの側によけいにパワーがかかっているかによって、時代の起伏がわかります。

世の中が新鮮で動的な時代には、新しさが輝かしい魅力として受けいれられ、若さが希望的にクローズアップされます。しかし反対に、動かない、よどんだ時代には、古い権威側はかさにかかって新しいものをおさえつけ、自分たちの陣営を固めようとします。

たとえば、われわれの身辺をふりかえってみても、この運命的な攻防ははっきりと見てとれるのです。

戦争直後の日本は、重い過去のカラから脱皮して、生まれかわったように、若々しく、新しい文化をうちたて、世界にのり出していくように見えました。すべてのものが動揺し、混乱し、模索し、しかしそこからなにか新しいヴァイタリティーがのびていくような希望が燃えていた。激動する時代の生気です。

だがそのうちに、安定ムードがひろがり、古い秩序がふたたび力をもりかえしてきました。

若い世代は自信を失います。パチンコやマージャンにうつつをぬかしたり、バカンスムードに流されたりしているのも、自分たちは気がついていないにしても、抑えられて鬱屈したものの、虚無的で非生産的な発散なのです。どうせ、何をやったって、たいしたことはない、世の中はなるようになるんだ。オレたちにはカンケイない、という気分です。

世の中は沈滞し、惰性がカビのように一般的なモラルを支配しています。新しい世代が牙をとぐことを忘れて小利口になり、いっぽう、古色をおびた権威側も、妙に安心して、いちおうものわかりよさそうに、ニコニコ顔でアグラをかいている。どうも、やりきれない気分です。若さの恥辱と、年寄りの不潔。

本質的な権威でないからこそ、とことんまで対決しようとはしない。ムキになるよりも、なるべくなら馴れあってという戦術なのです。

この気分にそって、若い世代がまた適当にいい子になり、権威側の枠に順応して、その中でうまくやろうとする。断絶しないで、順番を待って、いずれその座につこうとしているのです。

先日、東京大学法学部の学生たち、つまり現代のエリートを対象とした世論調査の結果が発表されました。まことに優等生。ちんまりと小市民的な生活の中に安定して、危険のすくない、実現可能な幸福を手に入れたいという、年寄りのような精神があらわれていました。尊敬する人物が、シュヴァイツァー、リンカーン、父母なんて、だいたいそんな順序です。小、中学生の答案みたい。これなら無難で、文句のつけようがない。就職試験には都合がいいかもしれませんが、青年の精神の振幅はそんな中におさまるのでしょうか。

たしかに実社会、ことに役所とか会社というような組織の中では、処世術としてもモラルとしても、そうなってしまうのは、ある程度やむをえないことかもしれません。しかし、真に人間的な本質まで見失っては生きる甲斐がない。

新しい側も古いほうも、お互いに、はっきりとした、透明な、必死な対立はごまかし、狡猾なやり方で問題をそらしています。結果としての空虚感はどうにもなりません。

芸術の世界にもこの気分はひろがっています。だから、おていさいのいいものはあるが、ほんとうに思いつめたような、激しく独自なものは打ちでてこないのです。このように、古い世代が巧妙に権力を保持し、若いものがスポイルされている文化には希望はもてません。

新しい世代は聡明にこのメカニズムを見とおし、理屈にあわない惰性的な習慣をくつがえし、若さと生きがいを、誇らかに謳いあげなければなりません。文化における新旧の無慈悲な対立こそ、歴史を進め動かしてきたことを思うべきです。

「近ごろの若いものは……」

どうも年とった世代というのは、意地がわるい。一人一人としては、けっこう、お人よしですが、より集まって権威的な雰囲気をかもしだすと、とたんに墓石のような暗さ、重さになります。

「近ごろの若いものは……」などという、言いまわしがあります。これは、おそらく、はるか大昔からつづけられてきた繰(く)りごとでしょう。現在しぶい顔をして、そんな文句を言っている人でも、かつて若かったころには、自分の親父(おやじ)とか先輩などに、さんざんそう言われて罵(ののし)られてきたにちがいないのですが、そのくせ、こんど自分の番になると、やはり同じような言葉づかいで、新しく出てくるものをさまたげようとしています。自分では正直に良心的に、むしろきわめて好意的に判断しているつもりでも、新しくおこってきたものが危険に見えてしかたがないものです。

ところで、そこが問題です。新しいものには、新しい価値基準があるのです。それが、なんの衝撃(ショック)もなく、古い価値観念でそのまま認められるようなものなら、もちろん新しくはないし、時代的な意味も価値もない。だから、「いくらなんでも、あれは困る」と思うようなもの――自分で、とても判断も理解もできないようなものこそ、意外にも明朗な新しい価値をになっているばあいがあるということを、十分に疑い、慎重に判断すべきです。

たとえ未熟でも、若いということは生命的にのぞましいことです。いくら年のコウ、亀のコウを鼻にかけ、若いものを見さげても、やはり年寄りだと言われるといやな気がするし、若いと言われればおせじだとわかっていてもうれしくなる（芸者などに「おにいさん」と呼ばれて、けっこうヤニさがっています）。若いということは、無条件にいいことだと考えてよいのです。

そして、若さこそ二度と取りかえせないものです。若いものの言動が気になるのは、それにたいする絶望的な一種のやきもちであり、ひがみ根性だと考えるべきです。「近ごろの若いものは……」などと、かりそめにも言いたくなりだしたら、それはただちに老衰の初期徴候だと考えて、ゆめゆめ口には出さず、つつしんだほうが御身のためだと忠告しておきます。

尊敬すべき老人にたいしては、やや苛酷（かこく）で乱暴なものの言い方をしたようですが、しかし私がここで年寄りというのは、けっして、たんに年齢的な意味だけではないのです。若さというのは、その人の青春にたいする決意できます。いつも自分自身を脱皮し、固定しない人こそ、つねに青春をたもっているのです。現在、権威とされているものでも、かつて、古い権威を否定したときの情熱をもちつづけ、さらに飛躍して自分自身と時代をのりこえて進んでいるばあいには、その人はうち倒される古い権威側ではなく、若さと新鮮さの陣営にあるのです。また、いくら年齢的に若くても、妙に老成し、ひねこびて固まっている人もいます。大きく歴史的に見れば、若い新しい世代が、古い世代をのり越えていくことはたしかですが、個々のばあいは、かならずしもそのとおりには当てはめられません。くれぐれも肝に銘じてほしいのは、年功が無意味であると同じように、また、たんに年齢的な若さも、けっして特権ではないということです。

もちろん、ヨーロッパにも新旧世代の対立はあり、〝青二才〟とか〝くちばしが黄色い〟とかいうような意味あいの言葉もあります。しかし、日本とは逆に、若さは誇りとされていますから、決定的な悪口にはなりません。モウロクをけなす言葉のほうが、はるかに優勢です。老人たちは、「近ごろの若いものは、だめだ」と言うかわりに、「わしの若いころは、はるかにすばらしかった」と、うらやましがらせようとするのです。現在を生きぬく責任を持たないものは、とかく過去を美化してその中に逃げこもうとするもので、これも空虚な自己欺瞞であり、繰り言ですが、現在の若さを圧迫する響きをもたないだけ、ましと言えましょう。

法隆寺の壁画は新しいか

ところで、さらに、新しいという言葉があいまいに使われているばあいがあります。
たとえば、古典のすぐれた芸術作品を「永遠に新しい」などという、その使い方です。
これは、芸術の傑作がつきせぬ感動の泉であり、いつ見ても新鮮な気配があるという、
その意味で「新しい」という表現をするのです。

あるとき、「芸術の新しさ」という問題で、討論会をしたことがありました。まだ
法隆寺の金堂が焼失する前のことでした。が、そのとき、ある日本画の大家が、私に
猛然とくってかかり、「法隆寺の壁画は新しくないか」とどなった。あまり突拍子も
なくて、ややコッケイなほどでした。そんなふうに興奮するというのは、彼らがしじ
ゅう、自分の仕事は古いんじゃないか？　と、ひがんでいるせいだろうと推察しまし
た。つまり、「自分は、けっして古いんじゃないんだぞ」と弁解したいために、狡猾
にも、だれも反対することのできない法隆寺の壁画を証拠にもちだしてきたのでしょ

う。

ところで私が、「古いよ。千年以上もたってるからね」と、いささかも動じないでこたえましたら、彼は、とたんに二の句がつげず、赤くなったり青くなったり、フウフウしているばかりでした。

これは、やや意地のわるい返事のしかただったのですが、しかし、私の言葉、態度は正しかったと思います。この日本画家のような奇妙な混乱におちいらないために、どうしても、いちど、「新しい」という言葉の使い方を、厳密にわりきってみなければならないのです。

つまり、法隆寺金堂の壁画のような、すぐれた芸術は、今日なおわれわれの魂に新鮮にふれてくるものがあるわけです。「ギリシャ彫刻の永遠の新しさ」などと言われるのも、その意味です。だが、これはあくまでも言いまわしであり、形容詞として使われるのでなければなりません。法隆寺の壁画は、なんといっても千年もまえのものであり、ギリシャ彫刻は二千年もたっている。作者、材料、そしてそれが耐えてきた長い年月、歴史、そのすべてにおいて古いのです。

もし、それを新しいというならば、それは現在、新しい時代に生きているわれわれ自身が、そのように感じとるからなのです。われわれの魂が新しさにたいして情熱をもっており、それにふれてくるものがあるからです。つまり、その感動がきわめて現在的だからこそ、新しいと感じるのです。もし骨董屋が見たばあいは、「ああ、これは古い、たいしたものだ」というふうに、職業的な嘆声を発するでしょう。

さきほどの日本画家はやや現代人としての良心をもっていたために、新しいということに感動したのです。これは悪いことではない。が、はなはだ残念に思うことは、現在生きている彼自身の作品が、千年まえの絵よりも新しいという感じをあたえないということです。なによりもまず、彼の作品自体が新鮮であることが、先決問題です。千年まえの壁画に新しさで圧倒されていては、今日の芸術家としてまことに情けない。そのくらいなら、ただちに絵筆を折って、芸術なんてやめたほうがよいのです。

自分が新しくあるというほうは抜きにして、「法隆寺は新しいじゃないか」などと言っていても、まったくはじまらないのです。ところが、古い世代のなかには、このような手あいが多く、新しいという言葉を逆手に使って、新しい時代の切実なものを否定しようとする。おのれが非力だと知っているので、まったく縁もゆかりもない、一筆だって協力したわけでもない古典の名作を自分の権利のようにして言いがかりをつけるのです。他人のフンドシで相撲をとる根性です。彼らの古典鑑賞は、じつは少しも新しくない、彼らの仕事程度に古くさい型の上に立っているばあいが多いのですが、それを新しいという言葉でおおって、ごまかしているのです。

新しいものはなんでもダメだ、というコチコチの保守派より、かえってこういうふいたまたかけた、ポーズだけの新しがりやのほうがしまつにこまるのです。自分でも、おのれの小姑的な役割に気づいていないし、若い世代もうっかりすると、その口さきにごまかされる危険があるからです。

さて、新しいということが、このようにさまざまな、複雑で、矛盾した意味に使われていることがおわかりになったと思います。言葉の使い方のうらには、あいいれない対立的な立場、時代的な断層があるのです。にもかかわらず、おなじ共通語でちがった考えを主張するから、混乱がおこってくるのです。

このように言えば、新旧の対立を、やや図式的に二分しすぎ、新しい芸術家の立場から身びいきな言い方をしているように感じられるかもしれません。しかし、歴史をひもとけば、あらゆる時代に残酷な新旧の対立があり、新しいものが前の時代を否定し、打ち倒して、発展してきていることがわかります。

自分の時代だけを考えていると、どうしても、ものの見方が近視眼的に、安易におちいりやすいので、どこまでも広く、深く冷静に観察すべきなのです。

芸術はつねに新しい

美術史はくり返さない

芸術は、絶対に新しくなければなりません。芸術はいつ、いかなる時代でも、新しいという意味で、大きなあこがれでもありました。と同時に、それがために、まえに述べたように、きわめて残酷に非難されてもきたのです。芸術家は、それぞれの時代の正反対の評価、矛盾に耐え、勇気と英知をもって、それをのり越えてきたのです。芸術は創造です。だから新しいということは、芸術における至上命令であり、絶対条件です。じっさいに芸術史、美術史がそれをあきらかに証明しています。ためしに、美術史のページを開いてごらんなさい。まちがいなく言えることは、芸術はけっして、同じ形式をくりかえしていないということです。美術の伝統は厳然とつらぬかれていますが、同じような形式、内容が二度出てくるということは絶対にないのです（日本の芸道(げいどう)では古い型をくりかえし、昔のものに忠実なものほどよいとされます。ここに芸術と芸道との違いがあるのです。しかし、これには説明しなければならない大きな問題があるので、いずれあとの章で、具体的にお話しすることにします）。

芸術の形式には、こうでなければならないという、固定した約束はないのです。時代時代、瞬間瞬間に、つねに新鮮な表現をつくっていくのです。したがって、すべての時代に、それぞれの形式が確立されます。ごく簡単に、近世芸術の展開を眺めてみましょう。

たとえば、西洋ではルネサンス以前は、宗教画が圧倒的です。中世の社会では、キリスト教が絶対的な権力をもっていましたから、すべての美は信仰的荘厳さのうえにあったのです。したがって、聖母マリア、キリスト、その使徒、または聖人たちの画像、彫刻が数多くつくられたのです。ところが、ルネサンスになると、神の像をえがき宗教的題材を使いながらも、人間ばなれした神聖な感じではなく、禁じられていた、なまなましい人間的官能性が表現されてきます（75P、図3）。

〔図3〕ルーベンス「十字架降下」1611年

これは、ようやく発展してきた商業資本を中心とした都市国家、とくにその富める市民貴族の近世的自由への目ざめ、解放感のあらわれです。

やがて権力が宗教、つまり神様の代弁者であった法王からはなれて、近代国家の王侯貴族に移ってくる。彼らが政治的実権をもつようになると、絵画作品も完全に非宗教的になり、王侯貴族の光栄と権力を象徴する美しい肖像などが描かれるようになります。絢爛たる服装をした貴族が画面の中央に、威風堂々たる姿で描かれています（図4）。

フランス革命の後、十九世紀にはいると、時代を支配する市民階級の気分を反映して、前の章でお話ししたとおり、ごく身ぢかな自然を題材とした自然主義がおこってきます。表現も市民生活に密着した、現実的なものにかわってき、また印象派、および新印象派のようなより科学的な意図から絵画を分析し創造するという努力があらわれてきます。これは、もちろん近代的な生産様式と勃興期の自然科学に影響を受けているものです。

二十世紀には、素朴な科学主義をのり越えた、より高度な宇宙観にあい応じて、自由に構成され、抽象化された新しい芸術形式があらわれてきます。このように、芸術

〔図4〕 リゴー「ルイ十四世」18世紀

はあらゆる時代にそれぞれ、異なった形式と使命をもっているので、芸術形式の絶対性などというものはありえないのです。

ルネサンスのダ・ヴィンチの絵がいかにすばらしくても、ゴッホ、セザンヌが、どれほど結構でも、今日われわれが彼らの作品とおなじようなものを描いたりしたら、どんなにバカバカしくてグロテスクなことか、だれでも、当然判断できることと思います。つまり「八の字」の喜劇です。ところが、この時代錯誤(アナクロニズム)的な仕事をやるほうが正統でありまじめだと思われ、権威になっているから困るのです。

一つの時代には、一定の芸術の課題があります。二十世紀も後半にいたった今日、われわれにはわれわれにあたえられた当面の問題があり、それは当然それにふさわしい新鮮な形式によって解決されなければならないのです。

建築も音楽も文学も

もちろん、絵画ばかりではなく、建築についても、音楽、文学その他すべてのものについても、みな同じことが言えるのです。かつて建築というと、重く暗く、ゴテゴテした花模様や天使の彫刻などをあしらい、形が複雑なほどりっぱですぐれていると思われていました。近代建築は明快で単純、空間を幾何学的にすっきり構成した、機能性をほこるモダーンな様式にかわっています。

音楽もバッハ、ベートーヴェンのような荘重なクラシック音楽や、ショパン、シューベルトなどのあまい耽美的な、浪漫主義音楽と、今日の近代音楽とは和声がまるでちがっています。かつて絶対化されていた調和の観念は、二十世紀にいたってうち破られました。ミヨー、プーランクなどの多調性音楽は、いくつもの異なった調子の同時表現で不協和音を発し、さらにシェーンベルクなどは、ついにハーモニーをまったく否定し、むしろ不快と思われるような音律をつかう無調性音楽をつくりました。そのほか、十二音音階主義とか、また日常生活のなかの非音楽的な、具体的な音響をどんどんとりいれるミュージック・コンクレート、電気的に合成された音だけで作られる電子音楽などがあります。近代音楽に馴れない、古い世代の人には、まるで騒音の連続のように思われ、ガッカリされるようです。しかし、それが真に近代的な耳には、諧調になって、全身を打ってくるのです。だからこそ、また今日の正統な表現になっているのです。ジャズも、狂熱的に若い生活の中にはいりこんでいます。やはり、ここに無視できない時代の動きがあるのです。

文学では、十八世紀までの貴族的な宮廷文学から、十九世紀のロマンティスムの革命的な時代、フローベールやゾラの自然主義、実証主義から、二十世紀はスュールレアリストのブルトンやエリュアールの一派とか、プルースト、ジョイス、フォークナー、カフカというような飛躍を見せ、さらに従来の小説の形式をまったく否定するアンチロマン（反小説）というような問題も提出されています。

このように、すべての芸術が、古い形式をうけつがないで、時代時代の新しい課題と取っくんでいるのです。

新しいものへのひがみ

流行とは何か

ところで、新しいということについて、まだまだ問題がのこっています。それは、新しさというものにたいして、だれもがもっている一種の不安定な気分についてです。

なんといっても、時代のアヴァンギャルドがつくり出す形式というものは、古い常識にとっては不可解なものです。そういう苦手なものが出てくると、「あれも、いずれはすたれる、たんなる流行にすぎない。だから、まじめに考える値うちがない」というような、もっともらしい言い方がしたくなるのです。

たしかに、すべてがつねに移りかわり、興亡をします。歴史は新しい価値を不断につくり、それをこわしながら、また、つくっていくのです。不動のものだけが価値だというのは、自分を守りたい本能からくる錯覚にすぎません。

流行というのは、文字どおり流れていく、つまり動的なものであるからこそ、それを積極的につかむことのできない者には、ひじょうに不安な感じがし、わるい意味にしか解釈できないのです。しかし、考えてごらんなさい。流行でない何かがありますか。どんなに今日正統と考えられているものでも、ながい流行の歴史のなかの一コマにすぎないのです。流行をつねにのりこえて、もっと新しいものを作るという意味で、移りかわるというのならよいのですが、どうせ移っていくものだからとバカにして、否定的に、歴史をあとにひきもどすような、つまらぬことばかり言うのは卑劣です。

今日のモダンアートにたいして、「あんなものは、軽佻浮薄で、たんなる流行にすぎない」などと言っている老大家たちも、彼らが若いころには、やっぱりその当時のモダンアートをやったのです。明治時代の日本で、裸を描くとか、印象派ふうの風景を描くなどというのは、まったく革新的な流行でした。敢然としてそれをやってのけた彼らは、古い人たちから同じように非難されてきたのです。だが、それが時代を一歩すすめ、彼らを今日の権威の座につけたのです。

その時代の人びとの願い、方向を正しくとらえたものなら、流行しないはずはありません。いったい、ルネサンスの人間味ゆたかな形式は流行ではなかったのでしょうか。古典主義（クラシック）時代にせよ、ロマンティスム、レアリスムにせよ、すべてそのとおりです。やっぱり、その時代時代の流行であり、時代的な感覚（センス）によって、動いてきているわけです。新鮮さとか目新しさとかいうものは、芸術の本質なのです。

日本では明治以来、新しいものは、いつでも外国からはいってきました。なんでもかんでも、めまぐるしく受けいれて、自分自身はつくりだす暇もなく、また、それですんできたのです。だから、新しいものというと、なにか他人（ひと）まね、つけ焼刃（やきば）、おっちょこちょい、というような奇妙な先入観ができてしまっています。これは、新しがりやの優越感にたいする反感でもあり、輸入文化の劣等感（コンプレックス）でもあるのです。そのため、流行とはまねることだと、きめてかかっている傾向が強いのですが、自分から独自につくりだされるものでもあると考えなければなりません。

つまり流行には、つくりだすという面と、まねをするという面との、二つの面があるのです。真の芸術が、今までなかった、まったく新しいものをつくりだして、時代をひっぱっていく。それに、みんなが惹きつけられ、型としてまねしはじめるから、いわゆる〝流行〟という現象がおこるのです。この流行の「創造」と「模倣」の二つの要素が、時代をすすめているのです。だから芸術の新しさを「あれは、たんなる流行だ。うわついた思いつきだ」といって敬遠することはまちがいであり、時代おくれになることです。

根のない日本主義

ところで、さらに、まだ次のような疑問——新しい芸術は、欧米のまねにすぎず、日本人にとっては、根のない、浮きあがったものだという考えが、思いのほかに根づよく残っていると思います。だが、これはまったくのあやまりです。近代芸術は、われわれの必然であって、けっして外国の模倣ではないのです。西洋のものでも東洋のものでもなく、近代世界の生産様式に合った、世界的なものなのです。

だが、このことを説明するまえに、まず、このような疑いぶかい見方の底にある矛盾、非論理性を突いていきたいと思います。

　われわれの切実な現実生活を、やたらに、日本的なものとか、西洋的なものとかに区別してかかろうとしますが、そういう人たちが、ぎょうぎょうしく、いかにも奥ゆかしげに取りあつかっている日本的なものとは、いったい、何なのでしょうか。これを検討してみましょう。

　日本文化は、歴史が示すように、いつでも輸入によって展開してきました。だから、何が真に日本的で、何が日本的でないかということは、ひじょうにあいまいです。

　まず、日本最大の古典とされている奈良時代の仏教芸術は、大陸から輸入されたものです（五三八年、欽明天皇の代）。また、われわれの使っている漢字は、すでに日本語になっていますが、いまさら言うまでもなく、日本古来のものではなく、中国から学びとったのです（五世紀、応神天皇の代）。それからは平安時代まで、貴族・文化人は全部、漢文、つまり生のままの中国語で自分たちの手紙や日記を書きつづりました。平安時代のはじめごろ、仮名文字ができてからも、和文、つまり日本文は

「女手(おんなで)」といって卑しめられ、紀貫之(きのつらゆき)がはじめてそれで『土佐日記(とさにっき)』を書いたときは、婦人の作をよそおったくらいです。平安時代の国文学の作者がほとんど女流であるのは、このためなのです。今日、いくら外国文学にかぶれたインテリでも、英語で日常の手紙をしたためたり、フランス語で日記をつけたりすることは、まずないでしょう。してみると、今日、「もっとも日本的だった」と考えられているその当時のほうが、はるかに恥じることなく、外国文化をウノミにしていたわけです。

さて、いま、われわれの着ている着物にしても、日常の生活用具や食べものなど、じつに多くのものが、みなこの調子で大陸からうけ入れたものです。あまりそういうことを強調すると、不快に思うひとがいるかもしれません。しかし、輸入文化だからといって、少しもわるいことはないのです。フランスだって、イギリスやドイツだって、もとをただせば（ルネサンス期に、それぞれの主体性を確立するまでは）、すべて輸入文化国だったのです。輸入文化を恥じるなどということこそ、輸入国インテリのひがみ根性です。

太平洋戦争ちゅう、私が中国の前線にいた時分のことですが、道ばたの店で絹ごしドウフを売っているのを見て、兵隊さんたちが、「日本のトウフがあるじゃないか」

と言って大よろこびしたことがありました。「そういえば、油アゲまである」と奇声をあげるありさまなので、「これはもともと中国のものだ。だいいち、トウフという言葉からして中国語だし、ミソでもお茶でも、みな中国のものだ」と言って、説明しようとすると、とたんに、「きさま、日本をバカにするか!」と言ってどなられ、非国民あつかいされてめんくらったことがあります。

ふつうの人はまったく日本古来のものだと思って疑わないほど、われわれの身についてしまった輸入品がどれぐらいあるかわかりません。「きもの」など、世界に誇る日本文化の代表のように思われていますが、これももとは大陸からきた衣服です。日本古来の服装は、かえって今の洋服にちかい、頭からかぶるしかけのワンピースや、ズボンと細い袖の上着だったのです。それが、奈良時代にとり入れた大陸の風俗が、だんだんに転化して、今日の着物になりました。生地の織り方、縫い方、みんなあちらから織工をつれてきて、ひじょうに文化的に高いものとして、全面的に生活にとり入れたのです。呉の国からきた(四六九年、雄略天皇の代)機織工を「呉織」といいました。その製品も「呉織」であり、「呉服」という語は、そういうところからきているのです。だから、当時はぱりぱりの舶来ニュー・ファッションだったのですが、だんだんに「呉の国からきた、外来の」という意味は消えうせて、呉服屋といえば、もっとも日本的な感じのする店になってしまいました。

そういえば、近ごろでは「洋服」という言葉にも、いわゆるバタ臭さはすっかり消えてなくなっております。もうしばらくたつと、「これは、もともとは西洋の服という意味で……」などと、うっかりもの知りぶりを発揮しようものなら、国粋主義者にどなられるようになるかもしれません。

このように、日本古来の文化的なものは、ほとんどが大陸からきたものだといってよいくらい、全面的な影響をうけているのです。それはちょうど明治以来、今日まで、西洋文化をいっしょうけんめいにとり入れたのと同じです。

ところが同じ輸入でも、過ぎ去ったものだと安心して許し、今日、われわれの責任において正しくつかみとらなければならないものにたいしては、あれは外国のまねだ、非日本的だといって、いやしむ。現在の切実ないとなみを否定したがる、ほんとうに今日に生きていない人たちがいるのです。現在にたいして、自信がないからです。過去の輸入品をたてにとって、今日われわれが直面し、正当にみとめなければならないものを拒むということ自体、まったく矛盾であり、卑劣なことです。こういう連中のバカバカしい考え方を徹底的に打ちくだかなければ、問題ははじまりません。

近代文化の世界性

世界は狭くなった

このように言ってくると、なんでもかんでも、新しいものをとり入れなければいけない、つまり外国のまねをすることが正しいのだと言っているように誤解する人があるかもしれません。しかし私は、まねのことを言っているのではけっしてないのです。今日の新しいものは、西洋とか東洋とかいう特定の区域のものではなくなって、世界的になっています。だから、それらはおたがいに共通のもの、そしてわれわれ自身のものなのです。世界は近代にいたって、はじめて真に世界的になりました。そして近代芸術は、この歴史的な運命を、かがやかしく担(にな)っているのです。では、近代の世界性は、どのようにしてなりたったかについて、簡単にお話ししなければなりません。

十八世紀の後半、科学工業の発達によって急激におこった産業革命は、やがて国際資本主義に発達するのですが、それ以前は、世界は無数の小さな世界にわかれていました。各国、各地方にそれぞれ特有の風俗習慣があり、それがかなり純粋に保存されていたのです。生活環境のちがいによって、世界観、すべてのものの考え方——宗教、道徳、審美観も当然異なっていました。おのおの限られた地域の中の別世界に住んでいたわけです。十七世紀のフランスの有名な哲学者パスカルが「緯度が三度あがれば、それはいっさいの法律をひっくりかえす。……川一すじが限界になっているような正義なんて、妙なものだ。ピレネー山脈のこちら（フランス）側の真理はかなた（スペイン）の誤謬である」（『随想録』）と言っているのを見てもわかります。

ところで、西欧先進国において資本主義が、しだいに発達してくるにしたがって、おたがいのあいだの壁はどんどん打ちこわされていきました。ひじょうに大規模になった資本主義の生産は、自分の地方だけではその膨大な原料をまかないきれなくなり、また、その製品をさばくためにも広大な世界に市場をさがしはじめたのです。先進諸国の植民地獲得の競争がはげしくなっていきました。世界はあますところなく開かれ、はじめて世界は完全な円になったのです。

欧米人が日本という国を、ほんとうにはっきり知りはじめたのは、ご存じのとおりペルリ渡来（一八五三年＝嘉永六年）からのことです。古くから、宣教師たちの日本に関する、かなりくわしい文書はあったのですが、それにもかかわらず、西欧人一般には、日本の存在すら知られていないという状態でした。わずか少数の知識人や船乗りたちだけに、せいぜい中国の東あたりにある、夢のような孤島として知られていただけです。

また日本人のほうも、彼らをただ紅毛南蛮というだけで、どんな言葉を話し、どういう生活感情をもっているかということは、もちろん知らなかったのです。三百年の鎖国のあと、彼らが突然、科学兵器をかまえながら通商を求めてやってきたときは、幕末の日本国じゅうは、全土がひっくりかえるほど、びっくりしたのです。多くの人びとは、彼らを人間というよりは、鬼のように思いこんで忌みおそれました。司馬江漢（一七四七―一八一八。日本に西洋画をとりいれた人）の手記には、「ある公の席で公家さんが、オランダ人は人ではなくて獣類だと、まじめに主張しているのを聞いて嘆かわしかった」とあります。

コッケイな話があります。彼らは、人間の生き血をすすって生きている。遠くはなれていても、魔法でもって生き血をすいとってしまうのだという、うわさまでたちました。ところがこれは、彼らがブドウ酒をのんでいるのを見たところから、こんなたいへんな誤解が生じたらしいのです。なるほど当時としてみれば、赤ブドウ酒からそのようなトンチンカンな想像が生まれたというのも、ありうることでしょう。これが、それほど古い話ではないのです。しかしやがて、日本はいやおうなしに鎖国の夢からひきずり出され、近代世界の一員として出発したわけです。

もちろん、日本ばかりではなく、それまで、よそとかけ離れていた、すべての国ぐにが、同じように世界の現実に目ざめてきました。やがて地球上の全体が一つの文化圏に組みこまれたのです（政治的には二つの世界が対立していますが、文化は、内容はともかく、形のうえでは、それほど違っていないと言ってよいでしょう）。今日、世界はますます同質化してきています。それは、西洋的とも、東洋的とも言えない、まったく新しい世界的雰囲気です。

洋服とキモノ

生活的に身ぢかなものをとりあげて、観察してみましょう。たとえば、われわれの着ている洋服です。これは、もちろん西欧からきた服装ですが、さきほどもお話ししたとおり、今日これを、ほんとうに向こうの服、外国からきたものと意識して着ている人はいません。サラリーマンでも労働者でも、運転手でも学校の先生でも、実社会で活動的な生活をしている人たちは、これを自分たちにとって、きわめて、自然な服と考えているのです。

もちろん、明治、大正時代には、洋服はやはり舶来の服装で、なにかえらい人やハイカラさんが着るものだというふうに考えられていたことは事実です。私の幼かったころ、小学生はまだ全部、紺絣(こんがすり)に小倉(こくら)の袴(はかま)、それに肩からズックのカバンをぶらさげるといういでたちでした。東京でも、わずか二、三の、たいへんハイカラな学校の生徒だけが洋服、つまり学生服だったのですが、私は慶応(けいおう)の幼稚舎(ようちしゃ)に入学させられたので、制服を着、靴をはくことになりました。その時のことを印象的におぼえています。靴の爪先(つまさき)がピカピカに光っているのを眺めながら、「活動写真に出てくる外国ものそっくりだな」などと、奇妙にうれしかったものです。外へ出ても、近所の子どもたちに、まわりをとりかこまれたほどです。

その後、一九二三年(大正十二年)の関東大震災(かんとうだいしんさい)あたりをさかいに、学童はもちろん、一般もどんどん洋服を着るようになってきましたが、それでもこんどの大戦前までは、ふつうの女のひとはほとんど着物でした。洋装するとやっぱりたいへん先端的で目だったものです。話はちょっとそれますが、私の母（小説家・岡本かの子）は、かつて、とびきりのモダンガールで、すでに大正時代にわざわざ横浜の婦人洋装店に注文して仕立てさせ、洋服を着ましたが、そのころは女学生でさえ着物に袴すがた、百貨店の売子なども和服、日本橋の三越が全部お座敷で、あのライオンのある入口のところに下足があり、履物をあずけて上がったような時代です。日本の女のくせに洋服なんかで外出すれば、チンドン屋以上に目だつことでした。道ゆく人が全部ふりかえるし、びっくりしたようにマジマジと立ちどまって見たり、バカにしたように笑ったり、ヤジったりするのです。さすが、ご当人の母は平気だったらしいのですが、いっしょに連れて歩かれる私は、きまりがわるくて、子どもながら穴があったらはいりたいような気持でした。

　思い出は、つい、きのうのようですが、そのころから見れば、ずいぶん変わったものです。戦後は、女のひとの洋装がまったくふつうになって、かえって着物のほうが、なにかあらたまった感じがするほどです。また、以前はなんでもなかった男の着物すがたが、近ごろの東京あたりでは、変に目にたちます。洋服と着物にたいする考え方、感じ方が、ちょうどアベコベになってしまったわけです。洋服のほうが生活的で、自然に、あたりまえになってきています。つまり、「西洋の服」なんかではなく、まちがいなく今日のわれわれの服であるということです。

　これはもちろん、日本ばかりではありません。世界をあげての傾向なのです。エジプトあたりでも、私が一九三〇年（昭和五年）ごろ、首都カイロに行った時分は、婦人はみんな黒いヴェールをかぶって、目だけしか出ていなかった。これがたいへん異国情緒（エグゾティスム）だったのですが、もう今では顔はむき出しにして闊歩（かっぽ）し、巴里女（パリジエンヌ）あたりとちっとも変わらないようすです。エジプト婦人がヴェールをまとうのは宗教的な意味があったので、これは政治的な問題でもあり、たしかに日本のキモノ異変より、はるかに大きな革命だったわけです。

　このようにヨーロッパに接したところでも、この十年二十年のあいだに急スピードで同質化していることは、おどろくべきものです。二つの世界大戦がこれに拍車（はくしゃ）をかけました。あらゆるところで、今日の生活にそぐわなくなった。古い地方的な形式が新しい世界性に置きかえられてきているのです。

自動車と駕籠（かご）

さらに、乗りものについて考えてみましょう。たとえば自動車にしても、アメリカに行けばアメリカ、ソ連に行けばソ連の自動車、日本には日本製の自動車がありますが、しかし、自動車はあくまでも自動車で、日本の駕籠だとか、フランスの馬車、インドの輿（こし）というような区別はないわけです。そして、それぞれの国情によって、いくらか形式がちがうにしても、ちょっと見ただけでは区別がつきかねるほど似た形です。ニューヨークでドイツの車が走っていてもよいし、げんに東京の街（まち）なかにアメリカ、フランス、イギリス、イタリア、ドイツと、あらゆる国の自動車がサッソウと走っていますが、都市風景をひきたたせこそすれ、ちっともおかしくはありません。かつては人力車が斬新（ざんしん）な日本独自の発明品として東洋の交通界に君臨していたものですが、今となってみれば、そのほうが場ちがい、さらに日本情緒（じょうちょ）をたっとんで駕籠でもかつぎだしたら、チンドン屋とまちがわれてしまいます。

また、日本は世界でも有名な自動車生産国ですが、これもオランダやイタリアあたりを走っているのとまったく変わりがない。ならべてみても、われわれにはどっちがどっちだか、マークでも見当がつかないくらいです。それは力学的に言って、機能的に、もっとも合理的なものが形式を決定するからで、国情や風俗にかかわりなく、どこで乗りまわしても同じように走るのです。

要するに、何が日本的であるかないかという、非科学的な、つまらぬ世迷言にひっかかっているよりも、どんどん積極的に、近代的な材料をこなして、世界の文化を前進させるべきです。

戦争直後、多くの日本人が自信を喪失し、食糧難と生活苦に虚脱したようになっていました。そのとき、水泳界に無名の古橋選手があらわれ、つぎつぎと世界記録をつくりました。日本じゅうが目がさめたようにおどろき、勇気づけられ、日本の誇りだとか、なんとかいって、ひっくりかえるような大騒ぎをしたものです。あれは日本古来の観海流とか水府流の抜手、蛙泳ぎなどで記録を立てたわけではなくて、外国式のクロールで勝ったのです。ところが、さらにさかのぼって考えていくと、このクロールは、そもそもはオーストラリアの原住民の泳法であり、それをとりいれて一九〇〇年ごろヨーロッパに現われてきたものらしいです。しかし、そういうことは、古橋の記録のかがやかしさを、少しも傷つけません。彼がクロールで勝ったからといって、なにも外国のもので勝ったといって頭痛の種にする人はいないでしょう。

こんなことを言うと、あたりまえじゃないかと言われるかもしれませんが、実生活的なものは環境の変化によって、批判の余地なくぐんぐん前進させられます。しかし、いったん文化や教養の方面になると、その進み方が、なかなか、すらすらとはいかないものなのです。なんでも古いもののほうがいいなどと、新しいものを牽制したり、しぶりながら、しかしやがては時代にさからえず、ずるずるとあとからついていく、ガンメイな人が多いのです。文化的なものにかぎって、外国のまねじゃないかと、色眼鏡で見たがるのは、そのためです。

よく教養のほうが新しいものだとか、また悪くいえば上すべりして前進するものだとか思う人がいますが、それは、まちがいです。少数の先駆的なアヴァンギャルドの立場をのぞけば、文化とか教養とかいうものこそ、かえって現実生活よりも遅れるのです。これについては、いずれあとで具体的に述べます。

建築様式の国際化

もう一つ、近代文化の国際性が、きわめて端的に現われている建築を例にとってお話しましょう。建築は、生活する場所としての実用性がその形式を必然的に新しくつくりあげていきます。わが国でも近年は、いちじるしくモダーンな建築の進出が目だっています。東京はいうまでもなくどんな地方都市に行っても、今までの建物とは、がらりと変わった、新鮮で明かるい建物が、どんどん建ちはじめているのに気がつかれるでしょう。

ところで、建築というものはいちど建ててしまうと、おいそれと建てなおしたり、模様がえをしたり、ぐあいが悪いからといって隠してしまうわけにはいきません。そこでこのばあい、時代の裂け目を説明するためには、まことにぐあいのよい新旧の例が、となりあわせに建ちならんでいたりします。

東京の丸の内あたりでも、ちょっと前までは馬場先門から凱旋道路をながめると、赤煉瓦を積みかさねた、窓の小さい、いかにも暗く、おもおもしい旧式な建物ばかりが建ちならんでいました。俗に呼ばれる「一丁ロンドン」です。百年まえの西欧の町か、それならまだよいのですが、インドとかエジプトとかいった、イギリスの統治下にあった植民地にかならず建っている建築物とそっくりそのままの様式で、時代ばなれした異国情緒をただよわせていました。あのあたりを通っていると、ふっと、日本ではないかのような錯覚をおこしたものです。最近、急速に建てかえがすすみ、もうわずかばかりになりましたが。いっぽう、日夜、どんどん新しいビルが建っている大手町（おおてまち）、日本橋方面にいくと、なんとなく軽快で明かるい。そして、いかにも東京の街の現実的な肌（はだ）あいが、ぐんぐんと身にふれてくる思いです。

これは前のがドイツ人やイギリス人の設計、指導、あるいはその弟子（でし）たちによってつくられたもので、純粋に北欧的なゴシックか、植民地ふうの形式であり、まったくのドイツ建築、あるいはイギリス植民地ふう建築であるのに、あとのは地方色などはのりこえた、世界的な近代建築だからです。それは、アメリカでも、ドイツでも、イギリスでもない。必要から割りだされた、合理的な形式であり、近代生活の機能を第一条件としているからです。権威を象徴したような、こけおどしの、むだな装飾（デコレーション）をはぶき、単純明快に、わりきっていくのです。このような、新しい建築になってくればくるほど、国籍など問題にならなくなって、世界的になるわけです。日本に建てても、ニューヨークで造っても、どちらがどちらをまねしたということは言えない。そういうところにきているのです。

とくに近ごろのモダーンな様式には、日本建築などの影響もあって、西洋的という感じはまったくありません。これこそ、世界的であると同時に、日本に持ってきてもぴたりとくるのです。たとえば窓一つ見ても、ごてごてと枠どりしたり、浮彫りなどあしらった、いわゆる西洋式の窓というものはまったくなくなって、建物の側面全体がひらけている直線の簡明さは、どちらかといえば日本建築にちかい様式になっています。

昔は、ちょうど洋服というように、西洋館、洋館と呼んでいました。たしかに、丸の内の凱旋道路あたりや最高裁判所の建物などを見ると、いかにも、西洋館という感じです。しかしそのような雰囲気は、今日の建物にはありません。

このように、じっさいのものに即して考えると、モダーンだから西洋のまねだと、バカの一つおぼえのようにきめこんでいるのは、まったくナンセンスだということがわかると思います。とかく安心してみとめている古風な形式のほうこそ、屈辱的な西洋のまねごとであり、新しいものは逆に外国の模倣ではないのです。

コッケイなことがあります。銀行の建物などによく見られる例ですが、ギリシャ式の円柱を建てるのです。これなどは、だれもおかしく思っていないようですが、コリント式とかドリア、イオニア式の円柱などというギリシャ時代の建築様式が、地理的にも伝統的にも、なんのかかわりもない、現代日本の銀行の前にコッゼンとそびえているというのは、まことに珍妙です。いったい、どういうつながりがあるのでしょうか。もしたいへんな核戦争かなにかで、ひとたび今日の文化がほろんでしまって、何万年かあとに他の人類によって東京の遺跡が発掘でもされたばあい、これには未来の考古学者がさぞ悩まされることだろうと、私はときどき、おかしくなります。

文明開化以来、しゃにむに、外国に追いつこうとしたあせり、西欧文化にたいする悲しいあこがれが、この見当ちがいの円柱になって出ているわけで、これも一度は通らなければならなかった歴史であり、やむをえない運命だったのかもしれません。が、いずれにしても、すでに建ててしまったものは、まあしかたがないとして、今ごろになってもまだ、この奇妙な伝統をひきずっているのが、あちこちに見られます。それもかなり新しい建築様式をとって建てた銀行で、例の円柱を看板のように一本だけ残しているのを京都の町なかで見かけて、おどろきました。なんの意味だか、さっぱりわかりません。ぽーんと、一本だけ建てているのです。

こういう時代錯誤（アナクロニズム）こそ、恥しらずな猿まねといってよいと思います。これは建築のうえにあらわれた象徴的な例ですが、トンチンカンはあらゆる部門にあり、権威ぶった、仔細らしい人たちほど、顔の真ん中にぽーんと一本建てても、平気です。

具象から抽象へ——私の遍歴

さて、いよいよ絵画の問題にはいりましょう。近代絵画が外国のまねだという誤解にたいしても、いままで説明してきたのと同じことが言えるのです。日本で正統な油絵だなんて考えられている写実的な静物や裸体だとか、印象派ふうの絵などこそヨーロッパのまねであり、「西洋館」と同様に、言葉どおりの「西洋画」です。

また、さらにさかのぼって、日本画のモチーフなどというものも、いま言ったギリシャの円柱式のようなところがあるわけで、日本で型として描いている山水、——仙人が杖をついている風景などは、けっしてわれわれのものではなく、また世界的なものでもないのです。しいて言えば中国的なものですが、そういうヌエみたいな、あいまいなものを安心して日本の絵だ、などと考えられては困ります。

私自身の経験をお話ししましょう。

一九二九年（昭和四年）、十八歳のときに私はパリに行きました。自分の担わされている日本の、いわゆる伝統といわれるもの、そのいじけた暗さに嫌悪を感じ、すっぱりと切りはなしてしまいたい、まったく新しくふみ出したい、それが私の決心でした。

ところで、まず仕事をしようとして、最初具体的にぶつかった疑い、障害は、――なんのために金髪美人や、パリの街を描くのだろうか、ということでした。単純で、しかし根本的な問いです。

当時はエコール・ド・パリ（パリ派、フォーヴィスムを中心にする作風。第一次大戦後パリでおこった）の華やかな時代で、日本から留学に来ている絵かきたちも多かった。彼らはなんの疑いもなく、パリの街角を描いたり、ブロンドのモデルを雇ってきて裸にして、最新流行のスタイルでお尻をふくらまして描いてみたり、ひとのまねをすること――それが彼らにとってはまじめに勉強することなのですが――、型をとり入れることだけにうき身をやつしています。それをもって日本に帰り、滞欧作品だといって披露すれば、当時では画壇的な地位も定まり、万事おめでたかったのです。

私にはそれができなかった。そんな絵を描こうとすれば、耐えがたい空虚感で、どうにもならなかった。ひどく悩みました。生活を通しての必然性もないのに、形式的な、あるいはたんに感覚的なデフォルマシヨン（変形）をやってみても、何になるんだろう。絵にはなるかもしれないが、自分の血肉にうったえてくる感動がない。描けば描くほど、ひとタッチごとに不自然で、なにか、みじめです。

数年間、ろくに絵もかけず、悩みつづけたあとで、あるきっかけを得て、抽象絵画の問題にぶつかったのです。そのいきさつについては、『画文集アヴァンギャルド』『黒い太陽』などの著書に、くわしく書いたことがありますから、ここではふれません。

とにかく、私はここではじめて息がつけました。抽象画では自分をすこしもいつわったりする必要がありません。このままの自分を、その感動のままに、もっとも直截に、端的におしだすことが大事なのです。私のようなパリに住む外国人、つまりフランスの伝統とちがった世界で生まれ育ったものにとって、金髪美人やパリ風景を描く空しさ、ズレがないことだけでも、どんなに救いだったでしょう。

しかもこの形式は世界共通語として、だれにでも語りかけることができる。純粋な線、リズム、色彩には、人と人とのへだてをつける地方色というものはありません。パリの街角やまた、それが富士山ならば、その土地の人間と外国人とでは、対し方、それによってひきおこされる感動はまるで違うでしょう。よかれあしかれ、そのモチーフには民族の生きてきた歴史、伝統が負わされているのです。そういう地方的な匂いや約束ごとは、すっぱりと切り捨てている。したがって、それに、ほんとうに親しめる、親しめないとか、理解できる、できないとかいう、地理的、民族的なズレもありません。

日本人としてパリの真ん中でやっていく場合、ローカルカラーなどで割引きされる、また逆に買いかぶられる心配もなく、まったく対等に、共通の課題をもって、直接的に参加できる。これこそほんとうに世界的な表現形式であると感じとったのです。

国境を越えた現代芸術

たしかに、幾何学的な三角形に日本的とかアメリカ的とかいう特殊性はないし、フランス的雰囲気を感じさせたり、ロシア的な味わいのある丸・四角なんて考えようもありません。

この意味で新しい芸術はフランス絵画でもなく、アメリカが本場でもない。国境を越えた世界絵画です。世界歴史の歩み同様、日本画、南画、西洋画という地方分権はなくなってしまったのです。個性が民族的な気配を負っているとしても、それはこのような無条件、同質の地盤のうえに出てくるのです。

まえに述べたように、近代において、世界じゅうが西欧文化を受け入れました。しかし、同時に、逆にきわめて強力にヨーロッパ精神が、かつて知らなかった異質のものによって動かされもしたのです。つまりヨーロッパの世界征服の結果、彼らをふくめて地球上のあらゆる文化圏がはげしく刺激しあい、交換され、東洋的でも西洋的でも何々的でもない、まったく新しい世界を生むにいたったのです。

二十世紀はじめの革命的な芸術、立体派は、アフリカや南洋の黒人芸術から決定的な影響を受けていますし、野獣派や、さらにさかのぼってゴッホ、ゴーギャンなどの後期印象派は、十九世紀の終わりごろ、ヨーロッパでもてはやされた日本の浮世絵版画の影響をのぞいては考えることができません（図5）。このように、かつて油絵はパリを中心としたヨーロッパという、いわば小さな世界の中で、その中から、その環境内の人びとだけをあいてにつくられたのですが、今日はその内容も、訴える相手も、世界的なのです。

今日までヨーロッパ人たちが、いちおう優位を示したのは、彼らがすすんで異質の要素に対決し、それをのり越えることによって、新しい段階をきずきあげたからです。

〔図5〕ゴッホ「タンギーおじさん」

今日、われわれ日本の芸術家は、むこうがこちらのものを取り入れて芸術革命をやったよりもはるかに先鋭に、欧米その他、世界じゅうの芸術形式のあらゆる課題を自分のものとしてつかみとり、自主的に新しいものをつくりあげるという段階に当然きているのです。

この問題に直面しているのは、日本ばかりではありません。とくに、今次の大戦後のいちじるしい現象ですが、いままで、なんといっても、絵画のよりどころとされていた西欧アカデミズムが打ちやぶられて、メキシコとかキューバ、アフリカ、インドなど、いわゆる近代化の遅れた国と考えられている、つまりヨーロッパ文明から遠ざかったところから続々と新しい世界芸術がつくり出されはじめています。ほんとうに、われわれは、ぐずぐずしているどころではないのです。

今日は、たんに芸術形式の問題ではなく、世界全体が同質的な生活感情のうえに立ってきているということを知らなければなりません。形式は同一化し、ニューヨークでも東京でも、サラリーマンや労働者の生活感情は貧富の差こそあれ、きわめて似かよっています。そして生活の根底をおびやかす戦争の不安や、平和への希望もまったく同じであり、それを左右する事件や声明のニュースは電波にのって一瞬のうちに世界じゅうの人びとの耳に達し、おなじ一つの感情の中にまきこみます。
このように近代的感情は、地理的条件をのり越えているのです。

アヴァンギャルドとモダニズム

新しいといわれればもう新しくない

さて、今までは新しくなければならないということを中心にお話しし、新しいことこそ価値であるように説明してきました。もちろん、それは正しいのですが、しかし新しいということだけでは、芸術の問題になると、じつはまだ不十分なのです。さきほど、同じ新しいというなかにも、創り出すがわと、その新しさを型として受け入れるがわの、二つの立場があるということをお話ししました。これをやはり対立した反対物として見ていかなければなりません。

芸術は、つねに新しく創造されねばならない。けっして模倣であってはならないことは言うまでもありません。他人のつくったものはもちろん、自分自身がすでにつくりあげたものを、ふたたびくりかえすということさえも芸術の本質ではないのです。このように、独自に先端的な課題をつくりあげ前進していく芸術家はアヴァンギャルド（前衛）です。これにたいして、それを上手にこなして、より容易な型とし、一般によろこばれるのはモダニズム（近代主義）です。

もう少し、突っこんでお話ししましょう。ほんとうの芸術は、時代の要求にマッチした流行の要素をもっていると同時に、じつは流行をつきぬけ、流行の外に出るものです。しかも、それがまた新しい流行をつくっていくわけで、じっさいに流行を根源的に動かしていくのです。

芸術家は、時代とぎりぎりに対決し、火花をちらすのです。

一言でいえば、モダニスト（近代主義者）が時代にあわせて、その時の感覚になぞらえていくのにたいして、ほんとうの芸術家はつねに批判的です。正しい時代精神が現存する惰性的なありかたに反抗し、それをのり越えていくという、反時代的な形で、自分の仕事を押し出していくのです。だれもがそうしなかった時期に、新しいものを創造していくからこそ、アヴァンギャルドなのです。

芸術におけるほんとうの意味の新しさということは、へんな言い方ですが、新しいということになる以前にこそあるのです。すこし極端にいえば、新しいといわれたら、それはもうすでに新しいのではないと考えたってさしつかえないでしょう。ほんとうの新しいものは、そういうふうにさえ思われないものであり、たやすく許されないような表現のなかにこそ、ほんとうの新鮮さがあるのです。

人に先んじ、無理解とたたかいながら問題を出す。そして、新しい美を発見していく。猛烈なぶつかりあいが、刺激になって世の中を進めていくのです。その努力はたいへんなものです。しかしそれが、一般に認められ、つまり公認されてから、そうでなければぐあいがわるい、時代遅れになるという理由で、新しい形式をとるというのとは、まるでちがったことです。一見、最初につくられたものと、あとでつくられたものとは似ています。なんといってもパターンのしき写しですから、形態的には同じようで、ちょっと見きわめがつかない。むしろ、にせものだけに、よくできています。よどみなく抵抗なく仕上がっており、それだけに見る人には消化しやすく、喜ばれるばあいが多いのです。エッセンスは薄めて飲むと飲みやすくなる。

しかし、最初に抵抗によってつくられたものと、あとで抵抗がなくてつくられたものとでは、その中にこもったけはいがどうしてもちがいます。内容がちがうのです。一方は、じっさいに激しさを内に秘めた、純粋の芸術的な発想。たいへんな努力と精神力によって自分自身をうちひらいていった、苦悩によってだけつかみとる何ものかであり、他方は、それを応用してつくった、惰性的な気分でも受けいれられるようになったもの。一方が先駆的役割で、いわば悲劇的なのに、もう一方は、だれにも安心されるあたらしさなのです。まさにこのほうは、モダニズムです。流行に即したスマートさがあるのです。

モダニズムは、あくまでもここちよく、生活を楽しくさせるものであるかもしれないけれども、ふるいたたせて、生活からあたらしい面をうちだす、猛烈な意志の力をよびおこすものではありません。

そういう一般的なイージーな気分に対して闘(たたか)おう、それに対して、なにかあたらしいものをつかみとって、次の時代に飛躍していこうという少数者は、時代にただちに受け入れられない。認められず、孤独でも、絵にならない絵、つまり芸術というものをおしすすめていかなければならないのです。芸術のアヴァンギャルドの運命です。そういう人たちこそ創造者、芸術家の名に値するのです。しかし、少数者といっても、あたしは芸術家じゃないから少数者にはいらない、と考えてはなりません。どんな人間の精神のなかにも、やはりこの二つのものが、あるものです。つまり、生活の安易なたのしい愉楽（ゆらく）を求めて――これはそうでなければ生きていかれないから求めるという面と、やはりそれでは満足しないという気持が、どんな安逸（あんいつ）な考えをもっている人にも、心の奥底にはあるものです。そういうもの、いわば、人間のはげしい生命力のようなものが、ほんとうのアヴァンギャルド、芸術家の創造に対して、やはりピンとひびいてくるのです。

いつでも時代にはこのような対立物があり、その異質が対決し、反発するところに、精神生活の緊張のポイントがあると思うのです。

暮らしの中のモダニズムの効用

このように、モダニズムには、時代を創造していくエネルギーはないかもしれません。しかし、モダニズムには、また、その価値と役割があります。真の芸術家が創造したものを模倣し、型として受け入れ、通俗化してその時代の雰囲気をつくっていくという、流行としてのモダニズムがあります。その力によってもやはり、時代というものが動かされていくのです。

また住みやすい生活環境をつくりあげていくモダニズムがあります。建築、家具、アクセサリー、商業デザインなど、身近な美です。家具でも、アクセサリーでも、いろいろな生活用具でも、近ごろはグッド・デザイン、モダン・デザインの大はやりです。

デザインは芸術か、芸術でないかなどと、よくきかれますが、厳密な意味でいうなら、芸術とはちがった要素をもっています。いい、わるいはぬきにして、デザインは、できるだけ多くの人に好かれ、理解されなければいけません。たとえばポスター、どんなにりっぱでも理解をこえたポスターは、商業デザインの意味をなさないし、腰かけられない椅子、おちおち住んでいられない家などは、たとえ芸術的価値があっても商品にはなりません。

とくに近代的デザインというのは量産の関係から、できるだけ多くの人に好かれなければならないという条件があります。

また、たとえばモダーンな喫茶店は、すわっていると、ひじょうに明かるく、すっきりして気持がいい。ところが、あれがほんとうの芸術だったとしてごらんなさい。

芸術の純粋さはなんといっても激しいものを内に持っていて、見る人を安心して平気で腰かけさせておくものではありません。お茶を飲んでいるあいだじゅう、精神に根源的な、のっぴきならない人間的課題をつきつけてこられたら、お茶の味なんかなくなっちゃうでしょう。ちょっと一休み、どころではありません。もちろん、生活の中には適当に安心してよりかかれる憩(いこ)いの場所があっていい。だから、そのような喫茶店がたくさんあって当然です。

こういう気分は服装やネクタイ、アクセサリーのえらびかたにも見られます。きわめて生活的な面でお話ししましたが、いかにも「芸術でございい」というような顔をしている絵画の中に、このような、ただ楽しく安心できるというモダニズムが多いのです。くりかえして言いますが、それはけっして芸術ではないので、絵だから、ただちに芸術だ、などと早のみこみしてはいけません。

モダニズムは時代が過ぎ、流行の型がかわればすぐ古くなってしまいます。その時代だけの価値、つまり千九百何十年かのモダーンな風景の中で、銀座に行ってお茶を飲んだという感じの喜びをあたえてくれるような、そういうたぐいの絵は、これは時代がかわれば、それとともに魅力を失ってしまうのです。時代的意味は持っているけれども、それをのり越えての価値はない、創造ではないからです。

真の芸術は、時代が過ぎても古ぼけません。つきない新鮮な感動の泉だからです。ほんとうに創造された芸術というものは、その時代の新鮮な表情のほかに、また、それをのり越えた永遠の生命があるのです。このことは、次の章でもっと具体的にお話しします。つまり、相対的（時代的）な価値と、時代をのり越えた絶対的な価値の二つが、おたがいに切りはなすことのできない、創造の不可欠な本質になっているのです。

ゆきづまりが、ゆきづまりを超える

アヴァンギャルドの本質とモダニズムの役割についてお話ししましたが、しかし、じっさいには、とかく芸術をモダニズム的な角度からしか考えないようです。たとえば、パリにはもっとあたらしい絵があるだろうとか、あたらしい技術がむこうからくるんじゃないかとか考える。ちょうど自動車のニューモデルがイタリアから、というような気持と同じで、あちらが本場だからというおかしな考え方があるからです。

じっさい絵かきたちの多くも、むこうの美術雑誌を見ては、新しい動向にキュウキユウとしています。

たとえば、私がヨーロッパを旅行して帰ってくると、ちかごろなにがはやっていますか、ヨーロッパはどうですかと、さかんに気にして聞きます。なにか新しいモードが生まれているんじゃないかというふうに思っているのですが、そういう考え方はたいへんなまちがいなので、そんなことでは、芸術の問題はとけないのです。逆にゆきづまっているといえば、ヨーロッパやアメリカのほうがはるかにゆきづまっています。ほんとうにゆきづまっていればこそ、苦しんだあげく、あたらしい試みが出るのです。むしろ日本では、ゆきづまるどころか、安心して、すわりこんで、なにかまた新しい型がむこうからくるだろうくらいに考えているのです。

まことに芸術はいつでもゆきづまっている。ゆきづまっているからこそ、ひらける。そして逆に、ひらけたと思うときにまたゆきづまっているのです。そういう危機に芸術の表情がある。

人生だって同じです。まともに生きることを考えたら、いつでもお先まっくら。いつでもなにかにぶつかり、絶望し、そしてそれをのりこえる。そういう意志のあるものだけに、人生が価値をもってくるのです。つまり、むずかしい言い方をすれば、人生も芸術も、つねに無と対決しているのです。だからこそおそろしい。

第4章

芸術の価値転換

今日の芸術は、
うまくあってはいけない。
きれいであってはならない。
ここちよくあってはならない。

と、私は宣言します。それが芸術における根本条件である、と確信するからです。

これは、今まで考えられていた、絵はうまく、美しく、快いものであるという価値基準とは、まったく正反対の意見ですから、あるいは逆説（パラドックス）のように聞こえるかもしれません。しかし、これこそ、まことに正しいのです。それを証明しましょう。

ふつう、絵をほめるばあい、まず、「うまいもんですな」とか、「きれいだわ」とか、「気持がいい、なんてたのしいんだろう」とか言ったりします。ところで、新しい絵にたいしては、どうですか。これにも、いろいろあって、モダニズムのところでお話ししたように、わからないけれどもきれいだ、とか、なにかわからないが気持がいい、というような絵もありますが、そのほかに、どう見てもきれいだと思えないし、うまいとも考えられない、まして、ここちなどみじんもよくはない。つまり絵として、ひっかかりようがない。今までの鑑賞法では、どうにもかなわないという絵がかなりあるでしょう。いったい、こんなものに、どこに価値があるのか、とお考えになることがあると思います。

ところが、このように、今までそれなしには「すぐれた芸術」とはいえないとされていた絶対の条件がなにひとつなくて、しかも見るものを圧倒し去り、世界観を根底からくつがえしてしまい、以後、そのひとの生活自体を変えてしまうというほどの力をもったもの、——私はこれこそ、ほんとうの芸術だと思うのです。

芸術はここちよくあってはならない

では、ほんとうの芸術は、なぜここちよくないのでしょうか。さきほどからお話ししているように、すぐれた芸術には、飛躍的な創造があります。時代の常識にさからって、まったく独自のものを、そこに生み出しているわけです。そういうものは、かならず見るひとに一種の緊張を強要します。

なぜかと言いますと、見るひとは自分のもちあわせの教養、つまり絵にたいする既成の知識だけでは、どうしてもそれを理解し判断することができないからです。そこには、なんとなくおびやかされるような、不安な気分さえあります。

たとえば、富士山の絵とか、きれいな裸体画、静物画などならば、見なれている――つまり、今までそういうものを、なんども見て知っているから、すうっとそのまま、その世界にひたることができます。なにも努力しないですむ、はなはだ気分がよいわけです。ところが、創造的な芸術には、けっしてそういう安心感がありません。

すぐれた芸術家は、はげしい意志と決意をもって、既成の常識を否定し、時代を新しく創造していきます。それは、芸術家がいままでの自分自身をも切りすて、のり越えて、おそろしい未知の世界に、おのれを賭けていった成果なのです。そういう作品を鑑賞するばあいは、こちらも作者と同じように、とどまっていないで駆け出さなければなりません。だが、芸術家のほうは、すでにずっとさきに行ってしまっているわけです。追っかけていかなければならない。どうして、こういうものを描いたんだろう——どうして、こうなったんだろうということを、心と頭、全身で真剣に考え、その距離をうめていかなければならないのです。

創作者とほとんど同じ緊張感、覚悟をもって、逆にこちらも、向こうをのり越えていくという気持でぶつからないかぎり、ほんとうの芸術は理解できないものです。つまり、見るほうでも創造する心組みでぶつかっていくのです。

今まで、まるで想像もできなかった世界に、身を投じる緊張感は、すぐれた芸術に積極的にふれたばあいに、かならずおこる気分です。それは確かに、けっしてここちよいというものではない。まして作品に追いついていけないばあいには、正直に言って、疑惑と苦痛感を覚えるものです。

すぐれた絵の前で、悲愴な顔をして見ている人がよくありますが、「アイツ、ブッてやがる」などと、バカにしてはいけません。髪をカキむしったり、ため息をしたり、森の中でライオンかなにかに出っくわしたときのように、すごい目で、前のほうをにらんでいる、苦痛そのものの表情は、そういう緊張感からきているのです。

ところで、いったんそれがつかめ、自分自身のものにすることができると、急に命がぐっと力づよく飛躍します。そこにこそ、大きな喜びがあるのですが、しかしまた、それすらも苦痛に似た、それと背中あわせのよろこび、つまり歓喜です。うんうん、と言って、息もつけないような、心をふるいたたせ、心身に武者ぶるいみたいなものを感じさせる前進的な充実感なのです。だから、いずれにしても、たんにここちよいとか、「ああ、いいわね」とかいうような、無責任な感動ではないのです。

芸術はいやったらしい

さて、このような激しさをもった芸術、わかる、わからないということをこえて、いやおうなしに、ぐんぐん迫って、こちらを圧倒してくるようなものは、いやったらしい。

例をあげましょう。たとえば、ピカソの絵の多くは、正直にいって、ただ楽しいというものではないでしょう。むしろ、一種の不快感、いやったらしさを感じさせるにちがいありません。それは、彼こそ今日のすぐれたアヴァンギャルドだからです。

私が先年、パリに行ったとき、ちょうど「立体派」の回顧展をやっていました。今世紀のはじめ、新しい絵画の口火を切ったこの芸術運動は、久しいあいだ、「でためだ」とか、「絵ではない」などとののしられ、狂気の代名詞にさえ使われていました。ところが、半世紀たった今日では、すでに世界絵画の古典として頭を下げられるようになったのです。たいへんな評判で、会場は押すな押すなの騒ぎでした。

ピカソの大傑作、一九〇七年作の『アヴィニョンの娘たち』（図6）が出品されていました。青年ピカソが、当時のパリの優美でデリケートな爛熟しきった雰囲気のなかで、大胆不敵にも、グロテスクな黒人原始芸術の手法をそのまま取り入れて作った作品で、立体派運動への第一歩となったものです。画面の左右の形式が不均衡にずらしてあり、形態、色彩は猛烈な不協和音を発しています。これが、ものすごい迫力で、会場全体を威圧しているのです。ニューヨークの近代美術館からはこんできたもので、私もはじめてナマにふれたのですが、ズーンと全身にひびいて、骨の髄までくい入ってくるセンセーション（感動）は、なまめかしいまでにいやったらしい。その偉大さ、はげしさにおいて、おそらく最高傑作『ゲルニカ』と対比していい作品であり、今世紀前半の絵画の最高峰の一つだと思います。

いやったらしいというのは、けっして私のかってな言いぐさではないのです。この作品をピカソが描きあげたとき、仲間だったブラックでさえ、そのいやったらしさにたまげてしまった。「おまえは、ガソリンを一リットルぐらい飲んでから、これを描いたんじゃないのか」と言ったそうです。ほんとうか、ウソか知りませんが、いかに

〔図6〕ピカソ「アヴィニョンの娘たち」1907年

も感じが出ています。そんないやったらしい作品が、あやしいまでの美しさで、他の傑作を抑えているのです。

「いやったらしさ」の意味について、もう一つお話ししましょう。このヨーロッパ旅行の帰りみち、私はエジプトのカイロに立ちよりました。博物館に行きましたが、神秘をひめた数しれぬ古代の石像の中に、ひときわ燦然と光りかがやくツタンカーメン(紀元前十四世紀のエジプト王)の寝棺がかざられてありました。

これは、まっくらなピラミッドの中にひめ隠されていたものですから、数千年たった今でも新鮮に、まったく当時のままの姿をたもって、まるで、きのう作られたもののように、金色にギラギラしています。それに、ドギつい極彩色の模様がびっしりつけられているものですが、ハッとして思わずあとにさがるほど、はげしくて、すさまじい美観なのです。暑気をさえぎるために、厚い壁をめぐらした博物館の中で、それをじいっと見すえていると、鬼気せまる思いがします。とうてい、「ああ、きれいね」といって、楽しんで見るような代物ではない。

その夜、新聞記者がインタヴューに来ました。「カイロの印象はどうか、博物館に行ったそうだが」などと感想を聞くので、「エジプト芸術は、世界のあらゆる芸術のなかで、もっともすばらしいものの一つだ。それは、その〝いやったらしさ〟においてだ」と答えたら、さすがに、あきれかえった様子でした。

そこで、私一流の芸術論を一くさりやったあとで、「ゴッホだって、数十年まえは、まったくいやったらしい激しさがあったのに、もう今日では、きわめてほほえましく、優美なものになってしまっている。ブリューゲルだってそうだ。ところがエジプト芸術は四千年たった今日、なおゾッとするほど、いやったらしい。そこがエジプト芸術の比類のない偉大さだ」と言った。ようやく納得したらしく、そんなほめかたをされたのは、はじめてだと、ひどくよろこんだふうで帰りましたが、翌朝の新聞にでかでかと、「日本のアヴァンギャルド画家、オカモト、エジプト芸術にたいし新説を吐く」という見出しで、センセーショナルな記事がのっていました。

ゴッホなどは、一つのよい例です。彼の悲劇的な生涯のことを、あなたはたぶん、ご存じだと思います。ゴッホは今でこそたいへんな天才だと思われていますが、その存命ちゅうは、さっぱり一般から認められず、一枚も絵は売れないし、周囲のあまりにも冷たい無理解に絶望して、ついに自殺してしまいました。芸術作品にたいして、どこよりも寛大なフランスで、はなもひっかけられなかったなどというのは、よほどのことです。これは、ゴッホの絵が、その当時の人たちにとって、まことに不愉快な、いやったらしいものだったからに、ほかなりません。なまなましい原色は嘔吐をもよおすほどだし、ひん曲がった形、乱暴なタッチは見るにたえない、けっして美しいとは思えなかったからなのです。彼の芸術を理解しなかったのは、一般市民ばかりではありませんでした。そのころ、同じように社会の無理解とたたかっていた革命的な芸術家、印象派の人たちさえも、あまりまじめにとりあわなかったようです。セザンヌが、「こいつはまったく狂人の絵だ」と相手にしなかったという話があります。

私がはじめてゴッホの作品にふれたのは、小学校にはいるか、はいらないかくらいの時分です。両親とも芸術家だったので、そのころ、フランスの新しい画集が輸入されると、さっそく、それが書棚にかざられたり、色刷りの複製が額ぶちの中に入れられたりしました。おさない私にとって、ゴッホは驚異でした。まずだいいち、あの狂気のように噴出する原色。樹木が炎のようにゆらめき、渦を巻く不吉な天空には、二つの太陽がかがやいている。今日では、ゴッホの影響もあって、樹木など曲もなくすなおに立っているよりも、かえって、あんなふうによじれているほうが、なんとなく絵らしく見えますが、当時は、あれにはまったく、肝をつぶしたものです。今日、ピカソの横顔に目の二つある絵をバケものみたいだなんてきらっている人もいますが、当時、ゴッホのひまわりや糸杉は、それにもまして、ぶきみで奇妙なものでした。

正直にいって私自身、つよく惹きつけられながらも、楽しいという気分ではありませんでした。ところが今日では、ゴッホはちっともいやったらしさを感じさせません。むしろ、ひじょうに優美で心地よく、ほほえましい感じさえあります。これは、たしかに時代がゴッホをのり越えて前進してしまったからなのです。

このように愛されるようになったゴッホは、もはや、われわれに今日の問題を投げかけてはいません。その生涯は、今なお残酷にわれわれの心をうち、芸術家の共感を呼びさますものがありますが、作品はすでに今日の問題ではないのです。現在のわれわれに、暴力的にはたらきかけてくればこそ、いやったらしい。だからこそ強烈に惹きつけられもし、また、同時に反発したり嫌悪したりするのです。しかし時代がたって、その裂け目がうずめられてしまうと、あれほどいやったらしかったものが反対にほほえましくなってしまう。真に現実に生きている芸術だけが、いやったらしい。はじめに言った、「芸術は、いやったらしくなければならない」というのは、このような意味なのです。

では、いったい「楽しい、心をあたためる芸術というのはないのか」という疑問がおこるでしょう。そういうものもあります。たとえば、ゴッホが楽しくなったからといって、芸術でなくなったというわけではありません。だが、また逆の言い方をすれば、楽しく見られるようになったからよくなり、芸術になったのでは、もちろんないのです（そのために、芸術と思われるようになり、猫も杓子も、ゴッホ、ゴッホと祭りあげるようになったことは確かですが）。ゴッホがかつてあたえた苦痛、いやったらしさというものこそ、現代芸術に強烈な影響をあたえたのであって、それがたいせつな問題点、カンドコロなのです。ゴッホの価値は、そこにあると考えなければなりません。

今日でも一種の慣れ——ゴッホ的という型で見ることをやめて、作品そのものに、とことんまで取りくんでながめたばあいは、なお十分にそこから身ぶるいするような、いやったらしさを感じとるにちがいないのです。彼の芸術は、けっしてただたんに気持のよい楽しいものではないはずです。

では、条件なしに楽しめるという芸術はないものでしょうか。前の章でお話しした、生活にぴったりと合って、そこに、ずれや裂け目を感じさせないモダニズムが、それです。お年寄りには、いわゆる書画骨董の類でしょうか。このようなもののなかでも、ひじょうに洗練された、高度な表現をとっている作品もあります。マチスとかブラックの絵などは、典型的です。ここでは、人は繊細な趣味性にととのえられた均衡(バランス)と調和(ハーモニー)、しずかな喜び、幸福感をおぼえる。しかし、生きて在(あ)ることの力とか恐ろしさ、根源的な歓喜というようなものを感じとることはできません。つまり、芸術・人生における第一義ではないのです。いわば、よい意味のレクリエーション、気晴らしでしょう。

ところで、このようにすっきりした気分ではなく、なにかこちらの気持の中にはいりこんできて、麻酔薬のように末梢(まっしょう)神経をしびれさせ、一種のなぐさめと陶酔感をおぼえさせるようなものがあります。俗うけのする絵画の大部分がそうですし、私小説、エロ小説、メロドラマ、歌謡曲、浪花節(なにわぶし)など、みなそれです。そういうものが、われわれの周囲にはいちばん多いし、また世間的な人気(にんき)もあるようです。先日、街頭討論会で、ある人が、「ピカソとか新しい絵なんか見ても、わけがわからない。ちっともよいとは思わないが、浪花節ならピンとくるし、心から打たれる」と言っていました。おそらく、正直な感想でしょう。こういう考えの人が多いのです。しかし、これは人間を低さや弱みに妥協させ、甘えさせるもので、およそ精神を積極的に高めるものではありません。

芸術は「きれい」であってはならない

つぎに、「真の芸術は、きれいであってはならない」ということに移りましょう。きれいさということは、芸術の本質とは無関係だからです。「ああ、きれいね」といわれるような絵が、絵そのものの価値ではなく、たいてい、中のモデルによって関心をひいていること（「第2章　わからないということ」わからない絵の魅力　の項参照）、あるいはたんに心持のよいモダニズムにすぎないこと（「第3章　新しいということは、何か」アヴァンギャルドとモダニズム　の項参照）は、すでにお話ししました。「きれい」ということはつまり、ちょうど女の顔がきれいだとか、着物の模様がきれいだとかというように、ただそれだけの単純な形式美をさしています。それは、二度三度と見ているうちに、きれいでなくなる。たんにきれいなものというのは、かならず慣れてしまうものであり、見あきるものです。

それは、きれいさというものは、自分の精神で発見するものではなく、その時代の典型、約束ごとによってきめられた型だからです。ハリウッド型の美人というものがはやってくると、日本の女の子まで、みんなハリウッド型になってしまう。「あの女(ひと)鼻ペチャでボーッとした顔してるけど、天平(てんぴょう)時代（七一〇—七九四年）に生まれれば、きっとたいへんな美人だったわよ」ということにもなるのです。きれいなファッションといっても、ほんとうにその衣装の形や色が美しいのではなくて、こういうのがきれいだという、そのときの約束にはまったものだから、きれいに見えるのです。つまり、きれいさというのは本質ではなく、なにかに付随してあるもの、型だけであるものです。

ところが、注意していただきたいことがあります。私がなぜ「きれい」と言って、とかくそれと同じような意味に混同して使われている「美しい」という言葉を使わないのかという点です。それは、「きれいさ」と「美しさ」とは本質的にちがったもので、ばあいによっては、あきらかに反対に意味づけられることさえあるからです。

「美しさ」は、たとえば気持のよくない、きたないものにでも使える言葉です。みにくいものの美しさというものがある。グロテスクなもの、恐ろしいもの、不快なもの、いやったらしいものに、ぞっとする美しさというものがあります。美しいということは、厳密に言って、きれい、きたないという分類にはいらない、もっと深い意味をふくんでいるわけです。だから、はっきり分けたうえで、「きれい」という言葉を使ったのです。

あなたは、つぎのような経験をされたことはないでしょうか。たとえば、きれいな女のひとに会っても、ただきれいだなと思うだけで、さして気にとめないことが多いのに、いっぽう、きれいだとも思わないのになにか惹きつけられる人がいます。そして、その人がすばらしい女性だったら、つきあっているうちに、内のほうから美しさがかがやいてくるような感じで、ついには、ほんとうにきれいであるような気さえする。そんな人は、美しいのです。ところで、きれいな女のひとのほうは、かえって、つきあっていればいるほどなんでもなくなって、すっかり魅力を失ってくる。きれいにさえ見えなくなってくるのです。このように、美しさと、きれいさというのは、質的にちがったものです。

ゴッホは美しい。しかし、きれいではありません。ピカソは美しい。しかし、けっしてきれいではないのです。

芸術は「うまく」あってはいけない

さて、つぎに「どうして、うまくあってはいけないか」ということですが、この問題は次の章で突っこんで説明しますから、ここでは、ちょっと、ひとことだけふれておきましょう。

昔の話によく、名人が虎を描いたら、あまりほんものみたいに描けてしまって、夜な夜な、絵から飛びだしてきて、あぶなくてしようがない。そこで綱（つな）を描きこんでしばったら、やっと抜けださなくなったなどという言いつたえがあります。

先日、私は京都で円山応挙（まるやまおうきょ）（一七三三―九五）の鯉の絵を見ましたが、これはやはり同じような曰（いわ）くつきで、鯉の上から網（あみ）が精密に描いてあります。毎夜、庭の池におよぎ出すので、逃げられては困るからとあとから網を描き入れたのだそうです。この鯉は今日から見ると、けっしてほんものと見まごうほどの写実にはなっていないのですが、しかしそのころの形式化された日本画のなかでは、応挙のような、いくらか西洋画の影響をうけた写実がおそろしく真に迫って見えたのでしょう。当時の人に天然(てんねん)色(しょく)の動物写真など見せたら、どんなにおどろき、心をさわがせたことでしょうか。

あるいは、この網があまりにもきれいに、こころよく調和して描いてあるところを見ると、これはユーモラスな趣向だったのかもしれませんが、いずれにしてもそれが世間に伝えられると、もはや洒落(しゃれ)ではなくなって、かえって芸術の問題をゆがめてしまうことになるのです。私のおさないころには、学校の先生たちがきわめてまじめに、こういう類の話を教材にしていたものです。せっかくの話だから、おもしろ半分に聞いていましたが、子ども心にもバカバカしかった。

生きているようだとか、いかにもほんものがそこにあるように描いてあるということで感心するというのは、じっさいには芸術の本質とは関係のないことなのです。

古今の名画傑作が数多く集められているパリのルーヴル博物館あたりに行って、見わたすと、ただちにピンとくる厳粛な事実なのですが、いつの時代でも、ほんとうにすぐれたものは、けっして「うまい」という作品ではありません。むしろ、技術的には巧みさが見えない、破れたところのあるような作品のほうが、ジカに、純粋に心を打ってくるものを持っています。美術史をつらぬいて残されているものも、けっきょく、そういう作品です。

ところで、おどろくほど巧みで完璧な作品は、ぎっしりと並べたててあるのに、どうも印象が薄いのです。名前をしらべても聞いたことがないような作家ばかりです。その時代には偉い大家だったのですが、時代がすぎると、しだいに忘れ去られて、美術史からはオミットされてしまった人たちです。反対に不遇だった真の芸術家が時代をこえて、しだいにあらわれてきて、つねに新鮮に美術史をあらためています。

つまり、絵というものはやはり、うまいからいいというわけのものではないのですが、それを変に見当ちがいして、いわゆる職人的巧みさとか器用さなどというものが絵の価値、芸術の精神的内容みたいに、ごっちゃにされ、すりかえられている面が多いのです。

以上、私の言いたいことは、こうです。うまいから、きれいだから、ここちよいから、――という今日までの絵画の絶対条件がまったくない作品で、しかも見るものを激しく惹きつけ圧倒しさるとしたら、これこそ芸術のほんとうの凄みであり、おそろしさではないでしょうか。

芸術の力とは、このように無条件なものだということです。これからの芸術は、自覚的に、そうでなければならないのです。

第5章

絵はすべての人の創るもの

絵画は万人によって、鑑賞されるばかりでなく、創られなければならない。だれもが描けるし、描くことのよろこびを持つべきであるというのが、私の主張です。

あなたはたぶん、絵というものは絵かきが創るもので、素人は、それを見て楽しめばよい、描くにしてもせいぜい遊び半分に、趣味としてなぐさむものだと思っておられるでしょう。まあ、恥をさらすようなものは、なるたけ描かないほうが無難だ、くらいな気分でいる人が多いと思います。

だから、絵はたんに見るだけのものではけっしてなく、だれもが創るもの、いや、創らなければならないものだなどと言われると、まったく意外で、びっくりされるかもしれません。

しかし、じつは、見るということ自体に、あなた自身が創るというけはいがなければならない。この二つはそれぞれけっして離すことのできないものなのです。まず、これからお話ししましょう。

見ることは、創ることでもある

芸術は単数であり、複数である

見たり味わうことならできるけれども、創るという時間がない。あるいは、どうもそれにふみきる積極性がないという人でも、次の問題について考えてみてほしいのです。

創ることと、味わうこと、つまり芸術創造と鑑賞というものは、かならずしも別のことがらではないということです。あなたが、たとえば一枚の絵を見る。なるほど、そこには描かれてあるいろんな形、色がある。それはある一人の作家がかってに創りだしたもので、あなたとはいちおうなんの関係もありません。しかし、あなたがそれを見ているのは、なんらかの関心があってのことです。当然、喜び、あるいは逆に嫌悪、またはもっとほかの感動をもって、それにふれているはずです。

そのとき、はたしてあなたは画面の上にある色や形を、写真機のレンズが対象のイメージをそのまま映すように見ているかどうか、考えてみれば疑問です。あなたはそこにある画布、目に映っている対象を見ていると思いながら、じつはあなたの見たいとのぞんでいるものを、心の中に見つめているのではないでしょうか。

それはあなたのイマジネーションによって、自分が創りあげた画面です。一枚の絵を十人が見たばあい、その十人の心の中に映る絵の姿は、それぞれまったく異なった十のイメージになって浮かんでいるとみてさしつかえありません。人によって感激の度合いがちがうし、評価もちがいます。同じように好きだといっても十人十色、その好き方はまたさまざまです。

こういうことを考えてみても、鑑賞がどのくらい多種多様であり、それがその人の生活の中にはいっていくばあい、どんなに独特な姿を創りあげるか。それは、見る人数だけ無数の作品となって、それぞれの心の中で描きあげられたことになります。さらにそれは、心の中でその精神の力によってつねに変貌し創られつつあるのです。

この、単数でありながら無限の複数であるところに芸術の生命があります。たとえどんな作品でもすばらしいと感じたら、それはすばらしい。逆にどんなすばらしい作品でもつまらない精神にはつまらなくしか映らないのです。作品自体は少しも変わってはいないのに。

前章でも言ったようにゴッホの絵は、彼が生きているあいだは一般大衆にはもちろん、セザンヌのような同時代の大天才にさえ、こんな腐ったようなきたない絵はやりきれないとソッポをむかれました。当時はじっさい美しくなかったのです。それが今日はだれにでも絢爛たる傑作と思われます。けっしてゴッホの作品自体が変貌したわけではありません。むしろ色は日がたつにつれてかえってくすみ、あせているでしょう。だがそれが美しくなったのです。社会の現実として。こんなことはけっしてゴッホのばあいにかぎりません。受けとる側によって作品の存在の根底から問題がくつがえされてしまう。

こうなると作品が傑作だとか、駄作だとかいっても、そのようにするのは作家自身ではなく、味わうほうの側だということがいえるのではありませんか。そうすると鑑賞――味わうということは、じつは価値を創造することそのものだとも考えるべきです。もとになるものはだれかが創ったとしても、味わうことによって創造に参加するのです。だからかならずしも自分で筆を握り絵の具をぬったり、粘土(ねんど)をいじったり、あるいは原稿用紙に字を書きなぐったりしなくても、なまなましく創造の喜びというものはあるわけです。

あなた自身を創造する

私の言いたいのは、ただ趣味的に受動的に、芸術愛好家になるのではなく、もっと積極的に、自信をもって創るという感動、それをたしかめること。作品なんて結果にすぎないのですから、かならずしも作品をのこさなければ創造しなかった、なんて考える必要もありません。創るというのを、絵だとか音楽だとかいうカテゴリーにはめこみ、私は詩だ、音楽だ、踊りだ、というふうに枠に入れて考えてしまうのもまちがいです。それは、やはり職能的な芸術のせまさにとらわれた古い考え方であって、そんなものにこだわり、自分を限定して、かえってむずかしくしてしまうのはつまりません。

それに、また、絵を描きながら、じつは音楽をやっているのかもしれない。音楽を聞きながら、じつはあなたは絵筆こそとっていないけれども、絵画的イメージを心に描いているのかもしれない。つまり、そういう絶対的な創造の意志、感動が問題です。

さらに、自分の生活のうえで、その生きがいをどのようにあふれさせるか、自分の充実した生命、エネルギーをどうやって表現していくか。たとえ、定着された形、色、音にならなくても、心の中ですでに創作が行なわれ、創るよろこびに生命がいきいきと輝いてくれれば、どんなにすばらしいでしょう。

だから、創られた作品にふれて、自分自身の精神に無限のひろがりと豊かないろどりをもたせることは、りっぱな創造です。

つまり、自分自身の、人間形成、精神の確立です。自分自身をつくっているのです。すぐれた作品に身も魂もぶつけて、ほんとうに感動したならば、その瞬間から、あなたの見る世界は、色、形を変える。生活が生きがいとなり、今まで見ることのなかった、今まで知ることもなかった姿を発見するでしょう。そこですでに、あなたは、あなた自身を創造しているのです。

見ることから描くことへ

しかし、もう一歩発展させてみましょう。

創造というのは、ただ自分個人だけの問題にとどまってはいないはずです。もし己(おのれ)の感動を外にうちだし、表現すれば、自分以外の人に喜びをひらき、情熱をわきおこさせることになる。そうしたら、それを核としてあなたのまわりの世界が新鮮な彩(いろど)りを展開しはじめるにちがいありません。

「ああ、いい絵だ」と、感動する。だが、ただそれだけの受け身の鑑賞では、やはり生活の全体が満たされない。自分も描いてみたい、と思う。人間らしい自己表現欲、創作欲です。しかし、描けたらいいな、というところで、たいていはとまってしまうのです。これでは、ほんとうに充実することはできません。

描きたいのに描かずにすましてしまう。そのあとに、自分ではっきりと気がつかなくても、なんとなく味気ない気分がのこる。そういうことがつもりつもると、生活自体がひどく消極的で空虚なものになってくるのです。しかも、たいていその空虚さを自分自身で気がつかずにいるものです。

あなたは、展覧会とか劇場などの芸術鑑賞の場で、奇妙にあらたまった、重苦しいけはいを感じとられたことはないでしょうか。見るものと見られるものとの間のよそよそしさ。それはなんとなくあなたの気分を空しくする。

「私も描けたらいいな」と思ったら、描いてみるべきだ、いや、描いてみなければいけない、と私は言いきります。

昔、絵は見るものではなかった

お蔵(くら)の中に眠る名画

ところで、絵はすべての人の創るものだ、と言うと、なんだか突拍子もないことを言いだしたようにびっくりするあなたも、絵が見るものであるということについては、けっして疑うことはないでしょう。だが、今日でこそそれはあたりまえのようですが、ついこのあいだまでは、絵は見るものでさえなかったのです。冗談(じょうだん)や詭弁(きべん)ではありません。これは芸術史上の重大な問題点(ポイント)ですから、よく聞いてください。

それは、絵画芸術が過去において特権階級の専有物だったからです。

くだけた例でお話ししましょう。落語(らくご)によく八(はっ)つぁん熊(くま)さんが横丁(よこちょう)の御隠居(ごいんきょ)さんのところへ出かけて行って、書画の講釈などを聞かされ、煙にまかれてトンチンカンな受け答えをする話があります。貧乏長屋の御隠居さんの持ちものですから俗な品なのでしょうが、それだって八つぁん熊さんで代表される封建時代の庶民にはまるで縁のない、高級なしろものなのです。

　ましてすぐれた絵画ともなれば、よほどの御大家か貴族の家、お寺などにしかありません。そういう家のお座敷で、のうのうと掛軸などを見せびらかしたり、見せてもらえる人というのは、やはり、ひじょうに限られた身分のある人たちである。一般庶民はせいぜい、丁稚奉公でもしている者がお掃除のときに、かいま見られるくらいのもので、鑑賞などとはとんでもない話です。そんな金も、ひまも、権利もなかった。農民とか人足などは、絵画芸術のことなど、口の先にものせる気づかいはありませんでした。

　今だって、そうです。ためしに畑で仕事をしているお百姓の爺さんに、法隆寺の壁画でも、源氏物語絵巻でも、探幽、光琳でもについて話しかけてごらんなさい。名まえを知らないのはもちろん「そんなものは、わしらの知ったことではねえだ」と、話すことさえはばかるにちがいありません。農民とか貧乏人には、書画の道、つまり芸術などは、ねっから縁のないものであると考えられてきたからです。

（江戸時代には、ようやく勃興してきた町人階級に彼ら自身の芸術である浮世絵、その他が発生しました。が、しかしそれでさえ、まじめな芸術作品とは受けとられていなかった。今日でこそ、浮世絵はたいへんすばらしい、日本芸術の代表のような扱いを受けていますが、これは十九世紀後半にヨーロッパが高度な芸術性をみとめたことがはじまりで、つまり、西洋からの逆輸入によって、芸術作品として取りあげられるようになったのです。つくられた当時は、お祭りの絵看板とか日傘の絵と同じで、愛されはしたけれど、どちらかといえば婦女子のもてあそぶものとして、あまりたいしたものとは思われていませんでした。）

さて、特権階級の専有物だった絵画は、ただ見られなかったばかりではない、見せないという不明朗な気配にとじこめられていました。

秘蔵のものは、見せないことをたてまえにしていたのです。天下の逸品ともなれば、めったに人の目にはさらしません。大事なお客を招待したときなどに、とくに取り出して見せるのです。お客の身分の程度によって、出してくる品物がちがう。とびきり身分の高い皇族とか、公家とか、なんとかの守などという大名などが来れば、わが家の名誉というわけで、一番取っておきのいいものを取りだして見せる。そうして、「これは、あなた様だからお目にかけるので、今までは天皇様と太閤様にしかお見せしたことがない。あなた様は三人目でございます」などと、カンドコロをきかせれば、まったく申しぶんのない御馳走です。見せてもらうほうは、その絵のよしあしなどはさらさら問題ではなく、大いにおだてられて、いい気分になるのです。つまり、絵のすきな人とか、わかる人に見せるのではなく、身分の高い人、権力のある人の自尊心にくらいつく餌なのです。

だからそれ以外のときは、年じゅう嫉妬ぶかく、またきわめて忠実に、まっくらなお蔵の中ふかくしまいこんであります。奉公人たちでさえ、何がはいっているのかも知らず、身分不相応な者がうっかり見でもしようものなら、バチがあたって、目がつぶれるものだ、くらいに思っているのです。

これではまったく、絵は見るものではないではありませんか。見せないものだし、見ないものです。

見せると減る芸術

ところで今日ではいちおう、絵というものは、すべての人が鑑賞するものであるということになりました。いつでも展覧会や博物館に行けば見られますし、他の娯楽にくらべてけっしてぜいたくではない。むしろじみなレクリエーションです。絵は見るものだ。疑いをいれる余地がないほど、そういう考え方が身についていますが、こうなったのは、日本が封建制を脱してからのことです。明治の中ごろに、政府が西洋の博覧会や展覧会の形式をとり入れて、入場しさえすれば、だれでも自由に、天下の名画が鑑賞できるという仕組みをつくってからのことなのです。

これは、西洋文化が日本にあたえたもののなかで、われわれにとってたいへんプラスになったものの一つにちがいありません。まさに、電気、汽車、自動車の類がはいってきたのと同じくらいにたいへんな変わり方です。

しかし、日本の古典的な芸術、名画とか名器とかいうようなものは、封建的な見せない世界でつくられたものだし、今日でもその地盤はつづいているので、やはりあいかわらず書画骨董として見せないことがたてまえであり、それを保身の策にしているようです。さきほど絵画は、すべての人の鑑賞するものになったと言ったとき、いちおうと、含みをもたせたのはこの意味です。

なるほど観念的には見られるはずですが、あんがいそうではなくて、見せない、見ないという習慣はいまだに厳然として、いたるところに残っています。「人目にさらせばさらすほど、芸術作品の値打ちが減ってくる」という考え方があるのです。言われれば、なるほどと、思いあたるひとが多いと思うのですが、いかがですか。

これは、事実が証明しています。われわれの民族の誇りとする日本芸術の名品傑作というものを、いったいあなたは、ほんとうに親しくごらんになったことがあるでしょうか。おそらくほとんどないでしょう。一般の人が見ていないのはあたりまえで、美術史専門の学者までが、「大事なものをなかなか見ることができない」と言って、地だんだふんでいるのです。じつにウソのような、驚くべき話です。日本は世界の美術国だと言って対外的に宣伝し、古典芸術の海外展などもおこなわれています。それも結構ですが、しかし、かんじんの日本人自身が、その実物に触れられないのでは困ります。実体を知らないで、伝統をほこるなんて、コッケイではありませんか。

現在、世界でもっとも有名であり、俗に最高の芸術作品だと考えられている、レオナルド・ダ・ヴィンチの『モナ・リザ』は、パリのルーヴル博物館にあります。一時、盗難事件がおこって世間をさわがせ、『モナ・リザの失踪(しっそう)』といって映画にもなったので、一般におなじみですが、盗もうと思えば盗めるくらいむぞうさな陳列がしてあるわけです。

ここには世界じゅうの観光客が集まります。入場料はきわめて安いし、しかも日曜日に行けば無料です。子どもでも、貧乏な学生や労働者でも、だれでも気楽にはいれるし、そうしてこの世界一の絵を他の絢爛たる一流名品とともに、自分たちの所蔵品のような気分で、心ゆくまでながめ、味わうことができるのです。

ところで、わが国の現状はどうでしょう。私自身がかつて経験した例をご披露して、具体的にお話ししましょう。

私がフランスで、抽象主義の人びととともに、新しい芸術運動をやっていた時分、たまたまパリの街なかの本屋で光琳の絵の複製を見かけました。そして、それに激しく惹きつけられたのです。優美さにおいてはもちろん、強さにおいても鋭さにおいても、西欧の古典にまさるとも、けっして劣らない。これこそ日本が世界にたいして誇ることのできる、すばらしいものだ、日本に帰ったら、光琳こそぜひじゅうぶんに見とどけたいと、それ以来ずっと考えていました。

そこで、帰国するとさっそく機会をさがしたのですが、彼の代表作である『杜若（かきつばたの）

図』屏風とか、『紅白梅流水図』屏風とかいうものは、写真や複製では、いたるところで見かけますが、さて実物をということになると、まったく絶望的なのです。『杜若図』のほうは戦前、きわめて偶然の機会に、持主である根津嘉一郎氏の邸で特別招待がおこなわれたとき、うまいぐあいに見ることができましたが、これはじつに思いがけぬチャンスでした。さきほど言ったように、美術史の専門家でさえ、めったに、見られなかったものなのです。

ところが、それでも戦後になってからは、民主主義の功徳で、いろいろの名品が博物館にかざられたり、デパートの展覧会にまで、たまには顔を出すようになりました。時代のありがたさです。光琳の代表作も一、二度博物館に出されました。

ちょうどマチス展が上野の表慶館でひらかれたときのことです。

この西洋の近代芸術に対抗するつもりか、博物館で、琳派の大展覧会をひらきました。そこに『杜若図』屏風と『紅白梅流水図』屏風が出品されているというので、勢いこんで行ってみたのですが、見あたらないのです。聞いてみるとそれらは会期ちゅうを通してではなく、一週間か十日だけ日をかぎって見せたのだそうです。もうすでにお蔵にはいってしまったというので、ガッカリしました。

これは、私の経験したほんの一例にすぎないのです。どんな事情があるにしても、しかしわれわれの魂の血肉であるべき古典芸術の傑作が、よほどのチャンスにめぐまれないかぎり、ふつうの人たちには絶対に見られないということは、日本人にとっての不幸です。ほんとうにすぐれた芸術の実物にふれることもなく、言葉だけでたいへんなことのように言ったり考えたりするから、一般の文化意識がからまわりしてしまうのです。

もっとグロテスクなことがあります。日本古美術の一つの大きな分野になっている、やきもの、お茶碗(ちゃわん)のことですが、いやしくも天下の名器となれば、公衆の前には、なかなかさらさないらしい。秘仏(ひぶつ)のように、お蔵の中にしまっておくのです。なぜかと言いますと、博物館の人から聞いた話ですが、公衆の前に一度陳列したお茶碗では、むこう三年間、それでお茶の会をすることができなくなるからだそうです。

茶道(さどう)では、ほんとうに特別にえらんだお客さんを(それは、かなり通人(つうじん)でなければならないのですが)招待して、とくにその人たちのために、じつにこまかく心をくだいて掛軸、生花(いけばな)などで茶室をしつらえ、茶器をととのえ、料理を吟味(ぎんみ)し、会の準備をする。そして招かれてきた人たちに、「とくに、あなたたちのために、こういうものを用意した」というところを見せるのです。それが、御馳走なわけです。またお客さんのほうも、そういう亭主(ていしゅ)(主人側)の心づくしを的確に見ぬき、それに適切な礼をのべるのがエチケットであり、お客の資格なのです。そして、その日のお茶碗が、だれだれ作のどんな名器であるかということは、もっともだいじな点です。

そういうデリケートな貴重なものを、小学校の生徒から八百屋のおやじまで、だれもが自由に見にこられる博物館などに出してしまったのでは、ありがたさもなくなれば価値も失われる。つまり、とくにえらんだ大事な客に見てもらうという、もてなしの意味にならなくなってしまうのです。これは、そもそものお茶の精神ではないと思うのですが、茶道の堕落(だらく)です。

ついでにお話ししますが、たとえ博物館からたのみこんで、やっとどうやら出品してもらえても茶碗の底の円形になったところ、つまり糸底(いとぞこ)を見せないという条件つきのことが多いそうです。一般のものには、なんのことかわかりません。また、理由を聞いても吹きだしたくなるようなことですが、やきものには、この糸底というものがたいせつで、茶碗の値うち、素性(すじょう)をこれで判定したりするのです。だから、そのいちばん大事なところ、人間でいえばオヘソのようなところを見せてしまっては、元も子もない、茶碗が泣くというわけです。すぐれたもの、ますます多くの人に見せるべきものにかぎって、見せないように努力するのが、まさに今までの書画骨董の精神のありかたです。

いくら結構だといっても、人に見せない芸術に、どこに価値があるというのでしょうか。つまり芸術の問題を、その価値そのものではなくて、権力とか、それにつきまとった社交的なものの価値にかえてしまっているのです。

戦前は、奈良の正倉院をはじめ、京都の桂離宮や修学院離宮というような、日本古典のすぐれた遺産は、一般の人には見ることができませんでした。従五位以上の人とか、軍人なら佐官以上とか、たいへんな位階勲等や社会的地位がなければ拝観をゆるされなかったのです。当日は礼装を着用することにきめられていたと聞いています。肩書きなどは金で買うこともできた時代です。投機、利権だとか高利貸しかなにかで大もうけした俗物や高級役人などが、フロックコートや、モーニングを着こんだところで、芸術鑑賞とどんな関係があるというのでしょうか。肩書きなんかなくても、ほんとうに見たいと思っているならば、その人にこそ資格があるはずです。問題は芸術を見ることではありませんか。このような文化上の、ゆゆしい問題を、習慣だからというので惰性的に疑ってもみず、うかつでいる人が多いのです。さいわい戦後は、この枠がかなりひろげられはしました。しかしなお、たいへんめんどうな手続きをふまなければならないので、古典にたいする夢やあこがれが消しとんでしまうほどです。

下手な絵描きたち

貴族から市民の芸術へ

さて、これでやっと絵が、見ることもできない特権階級のひとりじめから解放されて、だれにでも見られるものになってきた、いきさつがおわかりになったと思います。しかし、つぎの段階である、「絵はすべての人が創るもの、創らなければならないものである」ということになると、これはまたたいへん説明が必要です。

さきほど、絵がみんなの見るものになったというのは、西洋の影響であると言いましたが、西洋でも同じように、封建時代には、結構な絵画というものは王侯・貴族の専有物でありました。こういうことは、なにも東洋とか西洋とかいう地域的な問題ではなく、また民族性の本質でもありません。ひとえに、社会制度にかかわっているからです。すぐれた芸術家はだれもかれも、王様や貴族のお抱えになって、その保護のもとに生活し、彼らの肖像を描いたり宮廷を飾ったりしました。

それが十八世紀後半のブルジョア（市民）革命や産業革命をへて、民主主義の時代になるにしたがって、ひろく一般に解放されるようになったのです。展覧会という形式も、ルイ王朝時代、王様が貴族たちに芸術品を見せるために宮廷のサロン（広間）でもよおした鑑賞会が前身で、それが市民社会にひきつがれたのです。だから今日なお、フランスでは展覧会のことをサロンと言っております。

さて歴史的なことについては、あとの第6章でふれてありますが、貴族が追っぱらわれて芸術が一般の市民のものになってからも、じっさいに、内容的にも市民らしい、彼ら自身のための独自の絵画作品を生み出すまでには、フランス革命ののち、数十年の期間が必要でした。市民階級は自分たちがうちほろぼした貴族文化にたいするあこがれを久しいあいだ持ちつづけて、とくに芸術方面では貴族芸術の模倣時代が一世紀ちかくつづいたのです。社会学や唯物史観で言う、「一定の社会には、それに即応した芸術形式がある」という定義は、ほんとうです。しかし歴史的な時代の歩み、社会的な条件と、それをみたす芸術とはかならずしも一致して進むものではありません。さきほど文化的なものは、実生活的なものよりも遅れていると言いましたが、残念ながら、ここにもそれが絶望的にあらわれています。

やがて十九世紀のおわりごろになって、やっと印象派という生粋の市民芸術が生まれたのですが、この雰囲気の中で、独自な行き方をとったセザンヌは、二十世紀芸術の大きないとぐちを開いたのです。ここに私の、とくに申しあげたい、重要な問題点があるのです。

ヘッポコ絵描きセザンヌ

セザンヌは、今日では、現代絵画の父と呼ばれ、美術史上における最高峰の一つと考えられています。だが、このように彼の仕事が認められ、たたえられだしたのは今世紀にはいってからのことで、彼がじっさいにその生涯の大部分を生き、仕事をしていた十九世紀には（彼は一八三九年に生まれ、一九〇六年、六十七歳で死にました）、まったく社会から相手にされずに終わったのです。

　これほど偉大な芸術家がどうして認められなかったか、そこが問題です。その理由については、すでにいろいろの角度からお話ししてきたわけですが、もう一つはっきり言えることは、じつは彼がヘッポコ画家だと考えられていたからなのです。

　今日、彼のことをヘッポコだなんて言うと、まったくの逆説(パラドックス)をもてあそんでいるようにしか聞こえません。私が講演会などでこの話をすると、みんなドッと笑って、ほんきにしない。セザンヌの名まえだけ聞いていて絵なんかよく見たこともないような人までが笑いだしますが、じっさいに数十年まえにはセザンヌなどは、とても見こみのないヘッポコ絵かきだったのです。

　彼は、二十二歳のときに、故郷の南フランスのエクス・アン・プロヴァンスからパリに出てきて、必死になって美術学校にはいろうとしたのですが、試験を受けるたびに落第、展覧会(サロン)には出品するたびに落選し、たった一回だけ、一八八二年に絵をならべることができただけです。

　それも、ふつうに入選したのではありません。その当時、審査員の推薦(すいせん)するものは、一人だけは無条件で入れさせるという規定があったのです。それで友だちのギイヨメの推薦によって、無審査の光栄ある入選をさせてもらったのですが、ところが、セザンヌなんか推薦したのはけしからんというのか、その翌年からはこの規定が削りとられてしまって、とうとう、セザンヌの絵は二度とサロンにならぶ機会をえられませんでした。

これだけ条件がそろっていれば、セザンヌがヘッポコ絵かきだったことを納得されるでしょう。「たいへんな巨匠(きょしょう)だ、天才だ」ということになったのは、今世紀のはじめごろ、彼が死ぬ前後からのことです。もちろん、ドクトル・ガッシェとか、画商ヴォラールとか、セザンヌの生前から彼を後援し、その芸術を世間にみとめさせようとした、ごく少数の先覚者ともいえる人はありますが、しかし考えてみれば、どんなでたらめな、しようもないインチキ絵かきにでも、五人や六人のファンならたいていついているもので、それぞれの小さい雰囲気の中では、「先生」、「先生」と言われているのです。

だから、それぐらいの事実では、「みとめられていた」ということの証明にはならないわけです。たまたまセザンヌがたいへんな芸術家だったということが、あとになって決まったから、そのファンたちもたいへんな先覚者だったと、さかのぼって光栄のおすそ分けにあずかるのだと、意地のわるい見方もなりたたなくはありません。

彼の幼時からの親友である、有名な文豪のエミール・ゾラ（一八四〇―一九〇二）でさえ、セザンヌの芸術的素質を直観しながら、絵の技術に関してはがっかりしていて、「きみは詩人だし、ほんとうに芸術的天分があるんだから、あとは技術さえみがけばいいんだ」といつも言っていたそうです。ゾラの小説『制作』は、奇怪な絵をかく若い芸術家が、すべてに裏切られ、おのれの才能にも絶望し、ついに未完成の絵の前で首をくくって死ぬという悲惨な物語で、若き日のセザンヌをモデルにしたものです。これが発表されてから、あれほど親しかった二人の仲がやぶれ、はては絶交してしまったのだと伝えられています（セザンヌ自身は後年、そのためではないと、さかんに弁解していたそうですが）。とうとうゾラはセザンヌを「ラテ Raté（できそこない）」と呼ぶようになります。

このように、一番理解していたはずの親友からも下手くそ扱いされたくらいですから、一般からはまるっきり、ズブの素人、というよりも、むしろ狂人扱いされておりました。

今日、私が「セザンヌは下手くそだった」などと言うと、日本の文化人諸氏から、

「また、あんなえらそうなことを言って、岡本太郎のやつ、生意気だ」と悪口されるかもしれませんが、そういうご当人たちがもし六十年まえのフランスにいて、セザンヌをいまのようにほめたとしたら（もちろんその時代だったらほめっこないでしょうが）、彼らは、一人のこらず、セザンヌ同様、狂人扱いされたにちがいありません。

彼の生地であり、晩年を送った南フランスのエクス・アン・プロヴァンスでは、今日なお、あの変な爺の絵が、画商のインチキな売りこみで、不当に値をつりあげられているのだと言って、てんでセザンヌをみとめず、道化あつかいしている者が多いそうです。

じじつ、セザンヌは、俗な意味で絵が上手ではなかったのです。

その証拠をお話ししましょう。

一度、私はゴッホやセザンヌの後援者として名高いドクトル・ガッシェの家で、セザンヌがはじめてパリに出てきて、研究所に通っていたころに描いたデッサンを見たことがあります。

すこしでも絵を描いた経験のあるかたならおわかりになると思いますが、人間がただ直立した姿を描くのは楽です。

しかし、たとえば、腕を前に突き出しているところを、真正面から描こうとすると、その突き出している拳（こぶし）と肩との関係が、どうもうまく描けません。握り拳が前に出てこないで、肩のところにかさなって二重マルになってしまったり、穴があいたように見えてしまったりして、ひじょうにむずかしい。はじめて絵を描く人や無器用な人はずいぶん悩まされ、もてあますものですが、セザンヌの描いたデッサンがまさにその調子でした。すわっている裸婦を正面から描いたものですが、前に出ているはずの膝小僧が下腹にめりこんでしまって、きのどくなほど不手ぎわでした（このときいっしょに行った日本人画家が、これを見て、「さすがセザンヌ、うまいもんだ」と奇妙に感心してみせるので、バカバカしい気がしました）。同時代の画家でもルノアール（一八四一―一九一九）やドガ（一八三四―一九一七）は問題にならないくらい器用であり、はるかに上手な絵かきでした。アカデミックな技術の点では、セザンヌはやっぱり才能があるとは言えないのです。

人によっては、セザンヌが当時から自覚してそういう描き方をしたのだと強弁するかもしれませんが、その時分、彼が尊敬し心酔していた画家というのは、アリー・シエールという俗悪な官展の大家だったのだから、おどろくべきです。

しかし、このように下手な絵かきが、どうしてあれだけすぐれた芸術をつくりあげることができたのでしょうか。

ここに、この項でお話ししたい、もっとも大切な問題があるのです。近代芸術は、そのような型どおりの技術、アカデミックな約束ごとを必要としなくなったのです。だからこそ、できそこないのヘッポコと思われていながらも、ズバ抜けてかがやかしい近代芸術の創造者となりえたのです。これは、たんに芸術形式だけの問題ではないのです。そこには歴史的・社会的な意味が多分に含まれています。ここで、もし彼がもう一世紀まえに生まれていたらと考えてみましょう。もし、ということは仮定であって、歴史上の事実にそんなことは、なりたたないわけですが、こう考えてみると、セザンヌと彼を生んだ近代の意味が、はっきりと浮かびあがって見えてくるからです。もしもセザンヌが百年もまえに生まれ封建時代に成長していたとしたら、どうでしょう。十八世紀は貴族時代ですから、すぐれた芸術家はみな宮廷や貴族のお抱えでした。ワットー（一六八四—一七二一）、フラゴナール（一七三二—一八〇六）、ブーシェ（一七〇三—七〇）、シャルダン（一六九九—一七七九）、グルーズ（一七二五—一八〇五）というような、華麗（かれい）、絢爛、目もあやな名人芸をもった絵かきたちの全盛時代です。したがって、多くは貴族の肖像画などですが、これはビロードが豪奢にたれ、ゆらめき、ちりばめられた宝石がきらめき、レースの襞が繊細に波うって、ふと衣ずれが聞こえてくるような思いのする、玲瓏たる美男美女の肖像画です。

セザンヌが、これらの名人芸のあいだにあって、王侯貴族のお抱えになる、などということは思ってみてもコッケイです。ルイ王朝の王様たちや、絶世の美人マダム・ド・ポンパドゥール（ルイ十五世の寵妃、一七二一―六四）、女王マリー・アントワネット（ルイ十六世の后、フランス革命によって断頭台の露と消える。一七五五―九三）などの肖像が、ひん曲がったジャガイモみたいに描かれてしまったら、いかにおもむきがあり、芸術的感動があったとしても、貴族たちには、とうていがまんできないでしょう。それでは、彼らの権勢を象徴し、その栄光をながく後世につたえるための肖像画には絶対になりっこないからです。だれも、セザンヌを絵かきとして取りあわなかったにちがいありません。

それればかりか、絵をかきながら一生を送ることは絶対にできなかったでしょう。あのように展覧会に落選し、美術学校にもはいれないようなものが絵をかいてゆこうとしても、封建的な社会では、まわりのものが許しません。「バカなまねはやめて、家の手つだいでもしろ」というきまり文句で、やめさせられてしまったことはあきらかです。セザンヌの時代は十九世紀もすでになかばを過ぎ資本主義がかなり高度に発達し、市民的道徳の「個人の尊厳」というものが確立されていた、つまり封建的な制約がようやく解消してきた社会だったからこそ、やりたいものならやらせるべきだというわけで、干渉はしない。とくにセザンヌの父親は、銀行家でした。これは、もっともブルジョア的な職業であったことにも注意すべきです。彼は、やはり息子に家業をつがせようと考えていたので、はじめは反対しましたが、どうしても描きたいというのならしかたがないと、けっきょく本人の意志を尊重して、なすがままにさせたのです。周囲も許したし、またセザンヌ自身も気がねやひけめを持たずに、堂々と自信をもって一生おのれを貫いたわけです。つまり、個人の自由を自他ともにみとめ、許したという市民社会の新しい雰囲気、これこそセザンヌがあのような大芸術家として、市民芸術を完成した絶対的条件です。

こんな話は、けっしてよそごとではありません。今日の日本の状態とひきくらべて考えてみましょう。これは、私のところなどへ訪ねてくる若い画家志願の人たちの多くが実際になやみ、訴えている問題です。国元の親父がエカキなんかになるよりも、薬屋の学校にはいってあとをつげとか、材木屋になれとか、つまり、もっと金にもなるし、世間様に顔向けのできるような、まっとうな仕事をしろと言って、強硬に反対する。そして、わけのわからない絵なんか描いてるんなら、仕送りを止めるなどとおびやかすのです。若い人たちは、今では、こういう干渉におそれとは屈服しないようですが、しかしあくまでも周囲の反対に耐えぬき、のり越えてゆくのは容易なことではありません。

素人画家ゴッホ、ゴーギャン、アンリ・ルソー

セザンヌのほかにも、天才として、美術史上不動の地位をもっているゴッホ、ゴーギャンというような人たちが、同じ時代に出てきています。俗に後期印象派と言われていますが、この人たちになると、さらにはっきりしてきます。彼らはどっちも、まるっきりズブの素人絵かきです。ゴッホ（一八五三—九〇）の絵については、さきほど（「第4章　芸術の価値転換」芸術はいやったらしい　の項）も、ちょっとふれましたが、彼ははじめからの絵かきではありません。画商の店員になったり、教員、伝道師など、三十歳ごろまで、いろいろな職業を転々として、やっと中年になってから、

ほんとうの画家の生活にはいったのです。生きているあいだ、認められなかったことは、セザンヌよりもはるかにひどく、とても比べものになりません。彼が、ついにそのために自殺に追いこまれた悲劇については、さきにのべたとおりです。

当時マネ（一八三二―八三）、ピサロ（一八三〇―一九〇三）、ルノアール（一八四一―一九一九）、モネ（一八四〇―一九二六）、セザンヌ（一八三九―一九〇六）など印象派の人たちは、その時代の権威からはまったく否定されていた革命児で、いっしょになって先鋭な芸術運動をやっていたのです。

その時分、彼らがおたがいの絵を持ちよって批評しあう会がありました。その席にゴッホがやってきたのです。パリに出て間もなく、印象派の影響をうけて描きはじめたばかりのゴッホにとっては、みんな、かがやかしい大先輩です。彼らがずらっと作品をならべて、おのおの熱をこめて長いあいだ討論し、批判したり、ほめあったりしているなかで、ゴッホは自分の絵を片隅の椅子に立てかけて、いつになったら、みんなが自分の絵のほうに注意をむけてくれるか、だれかひとこと言ってくれないかと、おずおずしながら、じいっと、みんなの顔色をうかがって待っていたのです。だが、彼の絵については、だれ一人言うものはないばかりか、見むきもされないうちに、とうとう集まりはおわってしまいました。黙殺です。しおしおと絵を持ってかえるときのゴッホの絶望感——想像しただけでも、こちらの胸がえぐられ、腹の底から冷えあがるような苦しみを感じます。

印象派の革命児たち——当時の良識ある市民たちからは、まったく馬鹿にされ、わからないものの代名詞とされていた、その連中にさえゴッホは認められなかったのです。芸術家は、一般からどんな不当なあつかいを受けても耐えることができます。しかし、自分の尊敬し、信じている先輩・同志たちにさえ相手にされないとしたら、これは悲劇のどん底をも、はるかに超えています。

もう一人、ゴーギャン（一八四八—一九〇三）がいます。もともと彼は、たいへんりっぱな株屋さんだったのですが、三十五歳ぐらいになって、とつぜん絵が描きたくなって絵かきとなり、本業を捨ててしまった。だから、いわば素人です。

さらに二十世紀にはいると、税関吏アンリ・ルソー（一八四四—一九一〇）がいます。彼はいわゆる日曜画家で、まさしく素人の絵かきです。この人の絵は、まったく子どもの絵と一見かわりないような、無邪気な、幼稚な表現をとっています。ゴッホどころではありません。十九世紀にあんな絵をかいていたら、もちろん相手にされないし、もの笑いのタネになるような稚拙な表現です。しかし今日では、このルソーの作品は、だれでも知っているように、世界芸術の至宝の一つになっているのです（図7）。このように、一見下手な絵が、けっして無価値ではない、すぐれた芸術であると認められたのは、真に今世紀にはいってからのことなのです。

つまり十八世紀までは、絵がものすごくうまいことが絵かきになる絶対条件だった。ところが十九世紀の終わりごろになると、下手くそでも素人でも、真に芸術的な素質と感動があれば、りっぱな天才画家になれるようになりました。しかしこの時代には、まだ一般の市民たちは、それらの天才を認めるほど進んではいなかったのです。そのために、彼らに悲劇的な運命をたどらせる結果になったのです。

ところが二十世紀になって、はじめて、いわゆるうまい絵かきよりも彼らのほうが、はるかにすぐれた芸術家であると判断されるようになってきました。ここに近代芸術の進展の偉大な意味があるのです（しかし、まだまだそれが十分にくつがえされてはいません。だからフランスにも日本にも、アカデミックな権威がはびこっています）。

〔図7〕ルソー「詩人とその女神」1909年

まずく描くピカソ

セザンヌの切りひらいた道、ゴッホ、ゴーギャンの教訓を受けついで、二十世紀の芸術家はさらに広大に、新しい芸術の可能性を打ちひらきました。ピカソにしても、マチスにしても、ひじょうに腕のある、うまい絵かきです。しかし、あなたも彼らの作品を、なんどもごらんになったことがあると思いますが、けっしてうまさを見せびらかしていません。むしろ一見、子どものラクガキに近いような絵が多いのです。ピカソのデッサンを子どものラクガキにまぜてしまったら、ちょっと、どっちがどうだか見分けがつかなくなるくらいです。ピカソ、ピカソとたいへんえらそうにかつぎあげて解説している人も、案外見当がつかなくなるという醜態も起こりかねません。「さすがにピカソはうまい」などと言う人が多いようですが、そういう感心のしかたは気をつけなければなりません。もちろん、ひじょうにうまいにはちがいありません。子どもの絵とは、一見似ていて、じつは、まったくちがった高いところにあるものです。しかし、うまいから価値があるんだというような言い方、考え方はまちがいだし、危険なのです。

以前は、できるだけ精巧に描くことが画家の目的だったのですが、今日の絵ではある意味において、下手に描くということが芸術家の大きな目的になっております。ピカソ自身が「私は、日ごとにまずく描いてゆくからこそ救われてるんだ」とズバリと言っていますが、ただ彼だけの問題ではなく、まさに現代芸術の本質を自分自身に表わしている明快な言葉です。つまり絵画において絶対の条件であると考えられていた、うまいということの価値がひっくり返ってしまったわけです。これこそ、前の章で述べた芸術の価値転換です。

名人芸のいらない時代

生産様式と芸術形式

いうまでもなく、ただ芸術家の気まぐれによって、たまたま、このような芸術理念ができあがってきたわけではありません。くりかえして言いますが、歴史的な、社会的な意味があるのです。これは、社会の生産様式ときわめて深い関係があります。ここで、ざっと、かいつまんでお話ししましょう。

十八世紀までは、なぜ巧い名人芸だけが尊ばれていたか、それは、つまりその当時までは生産が手工業時代で、すべてのものが職人の手によって作られ、すぐれた作品は名工の神業によってのみ生みだされていたからです。すべての作品のよさ、美しさは、名人の非凡な熟練が前提になっており、それがひじょうに尊ばれたのです。ところが、ご存じのように、十八・十九世紀の産業革命は巨大な機械工業を生みだしました。このような時代になると、それまで名人がコツコツとつとめて作っていたものが、機械によってそれと同等、あるいはまた、はるかにそれ以上の巧みさと正確さで大量に生産されるようになったのです。

一つの例をとりあげてみましょう。わが国で、きわめて神秘的な技術とされていた刀鍛冶などのばあいを考えてみればわかります。講談本や映画などによく出てくる話ですが、名工はまず仕事にかかるまえに、水垢離をとり、神棚にお灯明をあげて、白装束かなんか特別な格好をしてはじめます。そうして、いざ焼を入れるなどというときには、——どんな顔をしているか、じつはあまりよく知らないのですが、たぶん、半分目を閉じた入神の体で〝ヤッ〟と瞬間にやるのでしょう。まさに名人ならでは、です。一本の刀を作るために、いったい、どのくらいの時日をかけたでしょうか。

それはさておき、これまでにいたる年季、修業というものがたいへんです。十歳やそこらで、親に連れられて親方のところに行き、徒弟としてあずけられるわけですが、一人前になるのには二十年も三十年もかかるのです。徒弟といっても、はじめのうちは意地わるく、なかなか教えてくれない。朝は早くから夜おそくまで、水を汲んだり飯を炊いたり、薪割り、雑巾がけ、親方の肩もたたけば、膳のあげさげもする、そんなことばかりやらされて、兄弟子などにいびられながら、血と涙の惨憺たる長い奉公をしなければなりません。やがて年をとり枯れ木のようになってから、ようやく円熟完成をみ、親方職人となるわけなのです。

ところが今日では、科学工業の力で高度な鋼が簡単にできるようになって、正宗級の刃物が、一日に何万本でもできてしまいます。それを作りだす人、つまり今様の正宗は、きのうきょう雇われた工場労働者で、けっこう間にあうのです。なにも、名人正宗のように継母にいじめられなくても、また雑巾がけや薪割りをする修業奉公も必要としないわけです。何分何秒間、どのくらいの電流を流すとか、どのスイッチを入れると、どこが動くかということを二、三回説明されれば、それですむのです。もしまた、きわめて精密な時間が必要ならば、計器が自動的にはたらいて、パチッとスイッチを入れれば、それでオーケーです。近代の明朗性ですが、正宗さんには、まったくきのどくみたいに、しごく簡単なもので、これでは浪花節の材料にはなりません。

これはどういうことかと言うと、今までは何をつくるにも職人の熟練、ながいあいだの経験によって得られた「コツ」と「勘」だけでつくりあげてきたわけです。だからこそ、名工の技術というものはたいへん神秘的で、神業にひとしいものだったのですが、近代になると機械工業が発達して、その過程を科学的で知的な操作に変えてしまいました。名人芸が、何年も何十年も年季を入れて、おのずと体得した極意、秘伝であり、かけがえのないものであるのに、近代の技術はいちおうの頭の下地さえあれば、だれにもできる、それだけ明朗なひろがりを持っているわけです。

だから近代の技術は、どんなに高度で、むずかしくても、「だれだれでなければできない」とか、「いわく言いがたい」とかいう神秘的なものではないのです。せんだって私はラジオ、テレビ、そのほか電気器具などを作っている工場に見学に行きました。そこの若い職工さんたちが設計図をひらいているのを、ちょっとのぞいたら、びっくりするほど複雑な図面で、私にはまるでチンプンカンプンのむずかしいものです。今日の労働者は、むかし考えられていたような、肉体労働だけの職工ではなくて、ほんとうに知的な技術者であるということに、かくいう私自身、いまさら驚嘆したしだいです。ところで、作られたラジオ、テレビなどは、たしかに下手な芸術品よりも、はるかに複雑であり、素人には原理も組立ても、かいもくわからない。それ自体まったく驚異的です。だからといって、ラジオやテレビの前で神秘感に打たれ「さすがは——うーん！」などとうなっている人は、まずいないでしょう。なぜならば、それは近代科学の産物であり、理をわけ、順をふんでゆけば、小、中学生にでもわかるし、作れるものだからです。

今日の新しい芸術にも、このような技術の近代性があるのです。それは秘伝・奥義を身上とする名人芸の神秘的な産物ではありません。

四君子とモンドリアン

絵の世界でも、封建時代には、やはり小さいときから徒弟として修業しなければ、画技を身につけることはできないことになっていました。そして家柄とか派閥、家元のようなギルド（中世の同業組合）的な集団の中で、ながいあいだ辛抱しなければ、芸術家にも職人にもなれなかったのです。

江戸時代には、狩野家と土佐家というのが、幕府や朝廷の御用を一手にうけたまわる大親方でした。たとえば、狩野家は、さらにそのなかに鍛冶橋家、木挽町家、中橋家、浜町家という分家があって、おお元を統率していました。つまり、家元です。さらに、その四家から分家したものや、門人のなかでとくにすぐれた人が、のれんを分けてもらって独立したのが十五家もあって、駿河台家とか御徒士町家、根岸御行松家など、それぞれ邸のある場所で区別され、いずれも幕府直属の御用絵師です。その下に、長年の修業のすえに狩野を名のることを許された門人が雲霞のように全国にいて、これがまた徒弟をあずかって仕込んだり、大名や金持ちのお抱えになったりしていました。これを「町狩野」といいました。この網の目のような組織のなかのいずれかに属さなければ、少なくとも公にみとめられた絵師として、名誉ある仕事を受けることはできないわけです。

今日現に、歌舞、音曲、茶道、生花などの芸道世界では、この制度がゆるぎなく引きつがれていることは、ご存じのとおりです。封建的な芸道がこういう古風な制度を守っているのはまだしも、今日外見は、いちおう自由で独立的に思われている画壇も、じつは目に見えない糸で、このような家元制度的な師弟関係につながれているのです。この封建的なものを徹底的にぶちこわさないかぎり、画面の上からあの日本画壇特有な、にぶい陰気な影を取り去ることはできません。

以上述べたような家元制度のなかでは、師匠（ししょう）のやるとおり、狩野家なら狩野派の定めのとおり、一分一厘（いちぶいちりん）も違わないように習いおぼえることが絶対条件で、それからはずれて独自な表現なんかやろうとしたら、ただちに破門されてしまいますし、メシの食いあげです。そのために、どれほどの才能が、押しつぶされてしまったかわかりません。もったいない話です。

ここでも、熟練ということが、なによりたいせつな条件でした。たとえば「竹に雀」ですが、これをほんとうに、竹がはえているように、雀がいかにも羽ばたきして、飛び立ちそうなふうに描くまでになるには、いわゆる「四君子」（蘭（らん）、竹、梅、菊。墨絵（すみえ）の初歩）からはじめ、何年あるいは何十年の長い年季をかけて、くりかえし、くりかえし描かなければ達することはできないのです。西洋画でも、裸体画を描いて、それがなまなましい肉の匂いをただよわせているように、また、前に述べたように、突きだした手が肩の穴ぼこにならないように描くには、長年の修練がいるわけです。またそのうえに、俗にいう、「もって生まれたところの画才」がなければ、ほとんど絶望です。ましてそれに味だとか、渋みが出てくるまでには、徒弟時代のつらい修業や、いまわしい人間関係の苦労をかさね、さらに一段と、同じ技(わざ)を徹底させてゆかなければならないのです。何十年も同じことをくりかえしていれば、たいてい、あきらめや空しさが身にしみるでしょう。それがにじみ出たものが味であり、さび、渋みです。

ところで、幾何学的抽象の一先端であるモンドリアン(一八七二―一九四四)の絵を見てみましょう。具体的な説明は、ここではぶきますが、彼の徹底した画風は、二十世紀前半の抽象画に一つの時代(エポック)を作り、今日ひじょうに高く評価されています。モンドリアンは、はじめ巧みな自然主義ふうの写実画を描いていたのですが、それがこのように純粋な作品をつくるにいたるまでには、いろいろ精神的、技術的な段階を経ているのです。

しかし、その形式はきわめて単純で、けっしてむずかしいものではありません。中学生でも、ちょっと器用なら、計算し、割り出し、定規をあててスッと線をひけば、

〔図8〕ベラスケス「インノケンティウス十世の肖像」

モンドリアンとまったく同等のものが描けます。さらに、もし彼以上に感覚の鋭さをもっていたとすれば、それ以上のものができるはずです。筆づかいだとか、かすれ、にじみの味、絵の具の塗りぐあいなどという年季のいる職人仕事は、ここでは問題になっていないからです。レンブラントやベラスケス（185P、図8）をまねしようとしても不可能です。あの画技には、彼らのもって生まれた資質と、生涯の修練、その結果おのずと体得されたコツとか勘とかいうようなものが塗りこめられているのです。だから、ヘッポコがいくら精神を集中したって、おいそれと、まねできるわけはありません。モンドリアンは、一つの典型的な例にすぎませんが、これだけ考えても近代芸術の技術がはるかに、われわれに親しめる、身ぢかなものであるということがわかると思います。

さらにイヴ・クライン（一九二八—六二）などは、青一色の作品で世界画壇をおどろかせました。ほとんど濃淡もマチエール（材質的効果）もない、ただ壁のように青く塗っただけの作品です。まさしく、これが絵か、というようなものです。

こうなると、モンドリアンどころではありません。

だがこのモノクロミスム（単色主義）は、美術界の注目をあび、パリ画壇でもっとも有望な作家としてもてはやされ、巨大な劇場の壁画を作ったりしました。不幸にも若くして病死してしまいましたが。

「ピカソなんか、おれだって……」

ところで、名人芸というのを質的に見ないで、量の問題として考えてみましょう。名人というのは、巧みであるということと同時に、社会学的に考えれば、これは数の少ない人ということを意味しております。経済学のほうでいう「希少価値(きしょうかち)」です。みんなが、同じようにうまかったら、けっして名人ではないのです。

すべて相対的なのであって、たとえば、私は駆けっこをしても、百メートルを二十秒か三十秒もかかります。歩いているより、ちょっとましなくらいでしか駆けられません。まことにのろいのですが、しかし、いかにのろまな私でも、かたつむりの運動会にゆけば、「世紀の韋駄天(いだてん)」というあだ名がつけられ、驚異になるでしょう。だから、私が韋駄天と言われたり、のろまと言われることは、私自身にはなんにも関係ないわけです。陸上でも水上でも、ほんの一秒か二秒他より速いと、たちまち「世界の王者」となって大さわぎされるが、他の者に一秒でも記録を破られると、とたんにペシャンコになってしまう。その後は、なんか余計な存在みたいな、じつにきのどくなことになってしまいます。

こういうのは、すべてその人の実力というよりも、まったく周囲との相対的な関係にあるので、芸能における名人とか達人などというものは、やはりこれもスポーツのチャンピオンと同じことです。個人そのままでは、名人でもヘッポコでもありません。しかし、ほかの者がそれ以上にいっていないで、その程度の人がたいへん少なかったら、名人と考えられるわけです。いずれにしても、少ないからこその価値なのです。

少数者の権力時代には、だから一般の人には、こういう少ないからという価値は当然、特権階級だけに握られてしまいます。だから一般の人には、じつは縁のないものだったのです。しかし、専制時代、封建時代には美という価値の基準までが、権力的なものに支配されてしまいます。彼らだけが持てるようなもの、一般の民衆にとっては、手に入れることはもちろん、夢にも見ることができないようなりっぱなもの、だからこそ美しいというわけです。

王様の金の冠とか、ダイヤモンドをちりばめた盛装、荘厳な宮殿などは美の典型でした。それらは装飾のすみずみにいたるまで、よりぬきの芸術家によって描かれ、名人の手になるたいへん巧緻な細工がほどこされ、目もあやに燦然として輝いています。絵画の形式でも、ぜいたくな芸術品とか、たいへんな名人でなければ作れないような、むずかしいものほど尊いと思われていたのですが、もう、そういうような意識はとっくに時代おくれになっています。しかも、さらにつき進んで、自分自身で今すぐにでも描ける、身ぢかに可能性が感じとれるようなものが、これからの芸術にはもっとも、のぞましく、美しいのです。

たとえば、新しい絵を見て、よく「なんだ、こんな絵なら、おれにだって描ける」とバカにしたりしますが、バカにするのは古い芸術観念にひっかかっているからなので、おれにだって、子どもにだって描ける――からこそ、われわれの芸術なのです。そういう単純な、平易な技術のうえに立った、ほんとうに自由で人間的な心情の豊かさ、すばらしさを現にピカソ、その他の現代絵画がいきいきと示しているではありませんか。画面のまんなかで、勲章をいっぱいつけて暑くるしそうに息をしているような絵や、じっさいは食べられないのに、表面だけはいかにも本物みたいな果物を描く、というような錯覚の技巧は、けっして今日の生活感情に触れてくるものではありません。自分が描いてもいい、すぐ描けると思うような、平易で、単純、だがしかし、生活的な、積極性をもった形式こそが、今日の芸術、今日の美なのです。

だれでも描けるし、描かねばならない

絵を描くのは余技ではない

さて、少数者の独占物であり、本職でなければできなかった芸術がひっくりかえされて、だれでも描ける絵にかわったということは、今までお話ししてきたとおりです。芸術がはじめて、階級とか特殊技能などという、せまい枠をのり越えて、一般にひろがったのです。

二十世紀は芸術革命の時代だと言われています。これは、まったく正しいのです。しかし、洋の東西を問わず、批評家も、作家も、一般の鑑賞者も、とかく、これを画面のうえの問題としてだけとりあつかっています。そんな考え方、とりあげ方をするからこそ、いろいろと根本の問題をはきちがえてしまうのです。新しい絵はわかると

かわからないとか、堕落であるとかないとか、まったく無意味な、――結論など出っこない論議ばかりにおわるのも、そのためです。

たしかに二十世紀の芸術運動は、形式上の大革命です。立体派を皮切りに、つぎつぎと全ヨーロッパにおこったアヴァンギャルド芸術運動は、ものを素朴に、見えるとおりに写しとるという、今までの絵画の常識を根本からひっくり返してしまいました。そしてまったく新しい形式をきずきあげたのです。その新しい形式をどんなふうに展開していったか、具体的な説明は、あまり技術的になりますので、ここでは省きます。

しかし、今日の芸術革命の根本的な意味は、たんに画面上にではなく、じつはもっと広い、根ぶかい、社会的土台の上にあるのです。そしてそれが今日の現実にどのようにはたらきかけているか、そのありかたがたいせつです。つまり今お話しした、芸術が特殊技能をもつ名人にしかできないものではなくなって、だれでもが作れる、ほんとうに幅ひろい、自由なものに変わってきた、その点にこそ革命の実体があるのです。

だが、「だれでもが作れるものになった」と言っただけでは、まだ不十分です。私はもう一歩これを進めて、これからは、「すべての人が描かなければならない」と主張します。専門家、門外漢、素人、玄人（くろうと）なんて区別は現代芸術にはありません。人間的に生きることに「専門家」がないと同じように、すべての人が、創造者として、芸術革命に参加するのです。夢物語だと思ってはいけない。すでに、その段階に達しつつあるのです。

じじつ、今日ではあらゆる階級に、おどろくべき勢いで絵画熱がもりあがり、大ぜいのアマチュアが絵を描くようになってきました。素人の同好会が堂々と展覧会をやっていますし、役所でも、会社でも、工場などでも、美術サークルを持って、勤務の余暇をみて絵の研究をしています。まことにほほえましい光景です。

昔のことを考えれば、たいへんなかわりようです。戦前は、絵かきでもないのに油絵の具を使って絵を描くなんてことが、すでに珍しく、ひどくぜいたくな余技のように思われておりました（私が小学生のころ、父親の油絵の道具をひっぱり出して絵を描いていますと、「子どものくせに油絵なんかやってる。さすがは絵かきさんの息子だけある」などと、ひじょうに珍しがられたものです。今では、俗にいう「豆画伯」があちこちにたくさん出て、さかんに描いています）。一昔まえ、「腰弁（こしべん）」や「労働者」なんかが油絵を描いているなどといったら、それだけで会社や近所などであやしまれたり、にらまれたりしたにちがいありません。

ところが、近ごろでは絵の具屋さんなどに聞くと、素人が買いにくるほうが、はるかに多く、それで商売がなりたっている、と言っております。私も会社や工場などの美術サークルによばれて、話をしたり絵の指導をしたこともありますが、多くはひろびろとした部屋に陣どって、専門の先生をたのみ、モデルさんをやとい、絵の具やキャンバスなども、りっぱなものを使って、堂々と絵を描いているのです（本職の絵かきたちが、絵の具代を節約しようとして苦労しているのが、きのどくに思えるくらいです）。

こういうことは、ほんとうによろこばしい。新しい時代の明朗な姿です。

うまい絵を描こうとするまちがい

ところで、じっさいに彼らの描いている作品を見ると、ここには、まだ、ひじょうに大きな問題がのこっていることに気がつきます。のびのびと明朗であるべき素人の絵が、たいていのばあい、へんに暗く、いじけているので、がっかりします。玄人のまねをしようとしたり、うまく描かなければ絵にならないという考えがはたらいているからです。まだまだ今日の芸術の意味をつかんでいないのです。

これは指導している人に大きな責任があると思います。こういうサークルに集まる人たちはみんな絵が好きだから、描きたいから集まったはずです。ところが、いざ描いてみるとなかなかうまく描けない。当然なことです。女のひとをモデルにして、いきいきと写実的にきれいな顔を描こうとしても、とてもむずかしい。真正面から顔を描いたところで、ふたつの目がつりあうように描くなどということでも、かなりの技術がいるし、鼻すじを通すことだって、けっして簡単ではないのです。まして、それが血のかよっているような美人になるなどということになると、たいへんです。どうしても、気負っていたよりも、はるかに不手ぎわな絵ができてしまいます。とたんに自分には才能がないなどと思って、がっかりしてしまう人が多いのです。

そこへもってきて、指導する先生が、「デッサンがくるっている」とか、「塗り方がわるい」などとアカデミックな型にはめて、残酷に不手ぎわを指摘すると、手も足も出なくなってしまいます。すでに、うまくなければならないという観念が下地にあるうえに、さらにそのように指導されると自分のまずさかげんに絶望する。やがて描いていても、すこしも楽しくないというようになるのです。むりして描いてみても、暗くいじけたものになってしまいます。

はじめは、描きたいという純真で自由な気もちで集まった人たちが、いろいろと描いたり指導を受けたりしているうちに、あまりのむずかしさに呆然としてしまい、だんだんと脱落していってしまうことが、どんなに多いでしょう。

こんな不毛な、古くさい芸術観はさっさと切りすてなければなりません。うまい絵などというものは、だれにでも描けるというものではないのです。長い年季を入れて、寝てもさめても、いっしょうけんめいうまい絵を描こうと精進努力している職人、専門家ならともかく、素人がどんなにしゃっちょこ立ちしたところで、ほんとうにうまい絵など描けっこありません。不自然に玄人ぶって、古くさい職業画家のまねなどしようとして、へんに気負ったり、むりをするから、どうしても色はにごり、線はぎごちなくなって、自他ともにガッカリするほど不潔で、おもしろくない絵ができてしまうのです。

これは、むしろ教えるがわの人に言わなければならないことですが、貴族時代の名匠のような絵を基準として、そういう絵を描くように指導し、素人をおどかすということは、まったく時代的にも、芸術の本質から言っても、たいへんなあやまりです。

それでは芸術のよろこびというものは失われてしまうし、新しい芸術の方向からも、はずれてしまうのです。

　さきほどお話ししたように、こういううまい絵というのは、封建社会の芸術であり、職人の特殊技能であったわけです。今日の、まったく白紙のはたらく人たちに、その手法を強いるということぐらい、グロテスクなことはないのです。そういうことを続けているうちに、何を描いているのか彼ら自身がすっかりわからなくなってくる。もちろん自信の喪失です。

　私は、そういう惨憺たる状態におちこんで、呆然としている人たちに、まったくそれまでの先生たちと反対に、つぎのようなことを言います。

「なぜ、あなたがたはうまく描こうとするんですか。ぜったいに、あなたたちがうまく描けるはずはないんだ。大衆雑誌の挿絵ほどにもうまくは描けないんですよ。チョンマゲ侍が、まっこう唐竹割り——血しぶきをあげてひっくりかえるところ、なんていう絵だって、けっこうむずかしい。しかし、僕みたいな絵なら、ものの二、三日も油絵の具の溶き方や線のひき方ぐらいを覚えれば、すぐに描けるんで、あとはもし、あなたに才能があり、さらに僕よりも自由な精神をもっているのだったら、岡本太郎なんかをしのぐことはわけないんです。うまく描く必要なんかみじんもありません。かまわないから、どんどん下手に描きなさい」と言います。

すると、「下手に描こうなどとすれば、まったくでたらめになってしまいます」と心配顔に聞く。「そうです。でたらめなら、なおいいんだ。でたらめに描いてごらんなさい」と言う。聞いたほうではうれしそうに、しかし、やや小ずるそうに、ニヤッと笑います。「でたらめなら描ける」と言いたそうに……。

「それじゃあ、ここで描いてごらんなさい」

デタラメがなぜ描けないか

ところで、鉛筆と紙を持ってきて、サア、となると、とたんに、ぐっとつまってしまいます。どうも描けないらしい。こんなはずはない、とあわてぎみです。口先では簡単にでたらめなら、と言うけれども、いざでたらめを描こうとすると、それが描けない。じつは、このくらいむずかしいことはない、ということに、とっさに気がつくようです。自分の意志と責任をもってやるでたらめは、ほんとうはでたらめではないのです。

この「でたらめ」という言葉を、もうすこし突っこんで考えてみなければなりません。たとえば、新しいすぐれた芸術などを見て、「あんなの、でたらめだ」と簡単に口先だけで言います。それから「あんなの、だれにだって描ける」ということをよく言います。たしかに、それはなにもむずかしい秘伝や熟練が要るわけではない。だれにでも描けるにちがいないのですが、精神の自由がなければ、ほんとうは作りえないのです。ですから、真の芸術家の名に値しない絵かきたちは、旧態依然として自然を見えるとおりに描く、つまり自然のまねをしてみたり、外国のすぐれた画家や、新しい流行を追っかけたりして、苦心惨憺ごまかしているのです。

じっさいに、自由な気もちで描くというのは、たいへんむずかしいことです。たとえば、人間を描くとしたら、目鼻に口をつければ、どうやら人間のかっこうに見えたり、八の字を描けば富士山ということになって、自他ともに安心します。また、一輪の花を目の前に持ってきて、これを描きなさいと言われれば、よりどころがあるから、曲がりなりにも線をひくことができます。いちおうお手本があり、そのまま描けば下手でも何かの形になるのですが、でたらめに描くということになると、目の前に対象物もなく、八の字のような寄りかかることのできる符丁もありません。どこからも借りてこないで、まったく今までなかった新しいものを、無から作りあげるという営みになるのです。

ほんとうの自分の力だけで創造する、つまり、できあいのものにたよるのではなく、引き出してこなければならないものは、じつは、自分自身の精神そのものなのです。そこが芸術の根本なのですが、そういうもっとも本質的なことになると、とたんにハタと行きづまってしまって、絵が描けなくなるというのはどういうことなのでしょう。「自由に描いてごらん」「かってに描いてみろ」と言われて、しかもそのほうが、はるかにむずかしくて、描けなくなる。これは、いかに「自由」にたいして自信がないかを示すものです。

このような矛盾した、不自然な心理状態を見すごしてはなりません。これをどんどん追究して芸術、そして自分の生活の問題として、はっきり考えてゆかなければならないのです。

鉛筆と紙さえあれば、どんなバカでも描けるものが、どうして描けないとか描けるとか、ややこしい問題になるのでしょうか。描けないというのは、描けないと思っているからにすぎないのです。うまく描かなければいけないとか、あるいは、きれいでなければ、などという先入観が、たとえ、でたらめを描くときにでも心のすみを垢のようにおおって不自由にしているからです。

うまかったり、まずかったり、きれいだったり、きたなかったりする、ということに対して、絶対にうぬぼれたり、また恥じたりすることはありません。

あるものが、ありのままに出るということ、まして、それを自分の力で積極的に押しだして表現しているならば、それはけっして恥ずかしいことではないはずです。見栄や世間体で自分をそのままに出すということをはばかり、自分にない、べつな面ばかりを外に見せているという偽善的な習慣こそ、非本質的です。自分をじっさいそうである以上に見たがったり、また見せようとしたり、あるいは逆に、実力以下に感じて卑屈になってみたり、また自己防衛本能から安全なカラの中にはいって身をまもるために、わざと自分を低く見せようとすること（よくある手で、古い日本の社会では賢明な世渡りの術とされてきたのです）、そこから自他ともに堕落する不明朗な雰囲気ができてくるのです。

路傍にころがっている、石ころとか木の葉がある。そこにそのまま、ただある、ということがたいせつです。人間はちょうど石ころと同じように、それそのものとしてたである、という面もあるので、その一見無価値なところから新しく自分をつかみなおすということに、これからの人間的課題があるのです。

自分が自分自身で思いこんでいる自分の価値というものを捨てさって、自分の真の姿をはっきりさせ、ますます自分自身になりきるということ、それがまた、じつは、おのれの限界をのり越えて、より高く、より大きく自分を生かし、前進させてゆくことなのです。

自分の姿をありのままに直視することは強さです。だれでもが絵を描き、おのれをすなおに表現するということは、不必要な価値観念を捨て、自分を正しくつかむ、きわめて直接的で純粋な手段であり、それによってまた、もっとも人間的な、精神の自由を獲得することができるのです。

だから私は「でたらめでいいから描きなさい」と、やや乱暴な言い方だが、誠意をもってすすめるのです。しかし、いきなりそう言われても描けない、という気もちもわからないことはありません。こういう話を聞いただけでは、なんといっても今までの生活の惰性に引きずられている人には、実感として、すぐにはのみこめないでしょう。だが、恥ずかしいとか、うぬぼれとか、芸術とは無関係な意識にわざわいされずに、描こうという決意をすることです。

とにかく描く

しゃにむに決心しなければならない課題がここにあるのです。決意などというと、なにかたいへん緊張しなければならないことのような感じで、かえって気が重いと思われるかもしれません。また、「理屈はそうだからといってもやっぱりそれは多少なりとも才能のある人のばあいで、そんな人なら決心もつきやすいが、ぜんぜん才能にめぐまれていないものは、いまさら決心したって……」などと、ためらうかもしれません。しかし、私はそういうめんどうくさい決意をすすめているのではないのです。

私の決意というのは、第一には、きわめて簡単なことです。今すぐに、鉛筆と紙を手にすればいいのです。なんでもいいから、まず描いてみる、これだけなのです。要するに、芸術の問題は、うまい絵をではなく、またきれいな絵をでもなく、自分の自由にたいして徹底的な自信をもって、表現すること、せんじつめれば、ただこの〝描くか・描かないか〟だけです。あるいはもっと徹底した言い方をすれば、「自信を持つこと、決意すること」だけなのです。

ぜったいにうまく描けないことはわかりきっています。だが、まえにも言ったとおり、下手なほうがいいのです。きたなかったら、なお結構。くりかえして言いますが、けっしてうまく描こうと考えてはなりません。

なぜでしょう。うまいということはかならず「何かにたいして」であり、したがって、それにひっかかることです。すでにお話ししたように、芸術形式に絶対的な基準というものはありません。うまく描くということは、よく考えてみると、基準を求めていることです。かならずなんらかのまねになるのです。だからけっして、芸術の絶対条件である、のびのびとした自由感は生まれてきません。それなら描く意味はないのです。

では、できるだけ下手に、でたらめに描こうと考えます。なんでもかまわずに、まず線をひくことにしますが、いったい、そのときに人はほんとうに自由でしょうか。線をひいてゆくにしたがって、紙のハシが気になります。まだ十分に余白があるのに、線はスウッとハシをさけて、内側のほうにもどってきます。右のほうに丸を描くと、やっぱり左のほうにもそれに応じた形を描かなければいけないというような、自動的で不自然な心づかいがはたらいてきます。形をととのえよう、つまり既成の型にあてはめようとする、こまっちゃくれた気もちが出てくるのです。でたらめといっても、けっして簡単にはやれないのです。人間は制約されるほうには慣れているし、ひじょうに楽ですが、自由という自分の責任においてやりとげるものには困難を感じ、なかなか自信を持つことができないからです。

また、すでにお話ししたように、だれにでも自覚しない雑多な知識がありますから、自分では絵画についての教養など全然ないつもりでいても、けっこういろんな絵を見ていて、いろいろな型を知っています。いつのまにか、既成の美形式などというものを、ちゃんと心得ていて、どうしても、それに似たものが出てきたりします。また、新しい絵画だ、自由な形式だ、と思いながら、やはりまたその「新しい型」にひっかかってしまうこともあるのです。

自分かってに描いているはずが、いつのまにか知らずしらず人まねみたいになってしまう。そこで、自分には独自なものが出せない、と言って、がっかりする人がいるかもしれません。しかし、今すぐに自由な気分で描けなくても、そんなことでがっかりする必要はないのです。

自由であろうと決心したうえは、たとえ現在、自由に描けなくたって、それでもかまわない、というほどの自由感で、やってみなければなりません。これはひじょうに大事なポイントですから、よく心にとめてください。

自分は自由だ、という自信のある人だったら、どんどん描いてください。もし、自分がまだ自由でない、と考えるのならば、それでもかまわないという気もちで、平気でやってゆくべきなんです。「自由」ということにこだわると、ただちにまた自由でなくなってしまう。これはたいへん人間的な矛盾ですが。

人間というものは、とかく自分の持っていないものに制約されて、自分のあるがままのものをおろそかにし、卑下（ひげ）することによって不自由になるものです。まねごとになってしまうからといって、自己嫌悪をおこし、絵を描くのをやめるというような、弱気なこだわりも捨てさらなければなりません。それならばこのつぎは、似ても似つかぬように下手に描いてやろうというほどの、ふてぶてしい心がまえを持てばよいのです。

いつでも無心に、こだわらずに描いたとしたら、そこに自由感があらわれてくるにちがいありません。

まずいと思いながら、フッと気がついてみると、今までの自分の知らなかった、なにかひじょうに透明な気分が、そこに定着されているのに気がつくことがあります。
これが、芸術の出発点です。

自由の実験室

家じゅう全部で

さて、いよいよじっさいに絵を描いてみると、こんどは、自分だけの問題でない、意外な障害があることに気がつきます。あなたがお家(うち)で、自由な気もちで絵を描いていたとしたら、どういうことになるでしょうか。

お父(とう)さんがのぞいて見て、「なんだ、子どもみたいにラクガキをして、——遊んでないで何かしたらどうだ。いい年をして」などとしぶい顔をされる。子どもが見つけて、「チェッ、ヘッポコだな」とバカにする。また姉さんや妹さんがきて、「あらいやだ、そんなの」などとひやかすにちがいありません。これでは当然クサリます。どうも家庭というものは、たとえなごやかでも、とかくおたがいが牽制しあい、ほんとうに自由な生活表現というものができない傾向があります。

そこです。ここでめげてはなりません。毅然として、にこやかに、むしろ得意になって絵を描いてみせるべきです。そして、私がいままでお話ししたようなこと、なぜ自分がへんてこりんな絵を描くかということを、みんなに説明してきかせて、おじいさんやおばあさんに鉛筆やクレイヨンを持たせる。お父さん、お母さん、姉さんにも弟さんにも、みんなに持たせ、家内じゅうみんなが同じような気分で絵を描くように、引っぱりこんでしまうのです。

そうして、おのおの部屋に自分の描いた絵をはりつけておいて、ときどきながめるといい。翌朝、目をさまして、あらためてそれを見直してみたりすると、あんがい自分がいくじなしだということがわかるものです。自分ではかなり思いきった、自由な気もちで描いたつもりでいても、時間や距離をおいてみると、やっぱりそのなかに、なにか自由でない、こだわっているものがあることを発見するはずです。こだわりのあるのが人間の精神なのですから。

また、おたがいに批判しあえば、いっそうおもしろい。おじいさんやお母さんを呼んできて批評してもらったり、子どもに好きほうだいな熱をふかせたり。他人（ひと）のことだから、だれもがかってなことを言うにちがいありませんが、そのなかに、かならずなにか、すこしずつは、ほんとうのことを突いているものです――ふしぎなくらい。それは恐ろしいものです。

さて、それらの意見をとおして、おたがいの精神の自由さ、不自由さがはっきりと浮かびあがって見えてきます。そうしたらこんどは、もっと自由な気もちで新しく描きなおし、そのようにしてだんだんに精神の内容をゆたかに強めてゆくのです。「こんどこそ、おれらしいものができたぞ」「まあ、おばあさんの、やっぱりおばあさんらしいわね」というふうに、楽しい競争のうちにだんだん芸術、つまり自由への自覚をすすめてゆくのです。

こんなふうにすれば同質の人間的雰囲気の中に、豊かな信頼感が生まれ、たいへん楽しい家庭になるでしょう。おたがいが下手であればあるほど、かえって明朗な気分になるものです。

ポーズを切りくずすこと

今日の変態的な、矛盾にみちた、意地わるな世のなかでゆがめられ、矯められてしまった生命の自然の流れが、そこにふたたび出口を発見して噴出するでしょう。そして、ちょうどみんな子どものころ、ほんとうにのびのびと無邪気に、たのしく生きていた時代のような、充実した気分がよみがえってきます。

おとなになったって、子どものときのような、単純で自由な衝動はあるのです。うれしいときは道を歩いていても、急に駆けだしたくなったり、大声で叫びたくなったりする（私はほんとうにやりますが）。また、時には、「かって気ままに描いてみたいな」というような気分にもなります。ところが奇妙に「おとな」というポーズがそれを抑えつけてしまいます。うれしいことがあっても、それほどでもないというふくみ笑いをしなければならないし、社会的地位でもあれば、道を行くときでも、のそりのそりと、やや重みをつけて歩く。ものを言うときは度をはずさずに、慎重に考えてから口をきる。すくなくとも、そういうふうな様子をしてみせなければ、あの人は人間ができていないと言われてしまいます。

いつでも、他人にたいするおもわくに重点をおいて生活しているうちに、いつのまにか精神の皮が硬くなって、おのれ自身の自由感というものも忘れてしまい、他人の自由にたいしても無感覚になってしまうのです。おたがいどうしがポーズと型だけでつきあっているので、魂と魂がふれあうことは、もちろんありません。道で会えば時候のあいさつとか、冠婚葬祭のしきたり、盆・暮の贈答など、型どおりのことには気をくばるでしょう。しかし、ただそれだけの、味もそっけもない非人間的な関係になってしまいます（裏がわでは変に卑俗にからみあったりしていますが）。

芸術の力によって、この不明朗さを、内から切りくずしてゆかなければなりません。芸術は、いわば自由の実験室です。実社会で、いきなり貫きとおすということは、いろいろな障害や拘束があって容易なことではありません。しかし芸術の世界では、自由は、おのれの決意しだいで、今すぐ、だれにはばかるところもなく、なにものにも拘束されずに発揮できるのです。

思いきって、のびのびと踏みだしてごらんなさい。そして人間的な自由とはなんであるか、その喜びをみずから発見すべきです。それは新しい生活への自信となって、明朗にあなたをささえるでしょう。

「芸術なんてなんでもない」

　さて、絵画がすべての人の見るものであるばかりではなく、創らなければならないものだという、私の真意がおわかりになったことと思います。芸術の広さというのは、人間性にあるのです。芸術がもし特殊なものだったら、けっして一般に感動をあたえ、これだけ深い人間的な問題になるはずはありません。それはすべての人のうちにある人間性に共感を呼び、それをふるいたたせるものだから強力なのです。人間性とはすべての人の持つ自由であって、けっして専門家とか特権階級だけのものではありません。ただ、今までの社会では、すべての人がそれをはっきりと自覚するまでにはいたっていませんでした。自覚さえ持てば、そこに芸術がはじまるのです。

　まだまだ、われわれの生活は古い習慣の重みにゆがめられているため、芸術にたいする関心とか、だれでもが直接自分でそれをやってみるというような気分はありません。「ひまと金のある人間の道楽だ」くらいに思っている人が多いのです。しかし、「芸術なんかなくたって飯は食える。あんなものはないほうがかえってサッパリする」などと考えている人だって、一見不必要なもののようでいながら、じつは芸術が社会生活に大きな位置を占めているということを認めないわけにはゆかないでしょう。また、自分には芸術なんか全然縁がないと思いこんでいる人でも、知らないうちに生活の隙（すき）のなかに、かならず芸術をほしがり、望んでいるのです。

さきほどからお話ししたとおり、芸術というものが、うまくなければいけないとか、美しくなければいけないとか、気分のいい完全に調和のとれたものでなければいけない、などということなら、だれでも尻（しり）ごみをして、「それでは自分とは縁がない」と考えてしまいます。けれども、「下手なほうがいい。きたなくったってかまわない。へいへい、へんてこならへんてこなほどいい、それこそ芸術だ」というのなら、だれでもが、「それならば、おれにだって」「わたしにだって」と、自分自身の身ぢかなこととして考えられるでしょう。

だから、「芸術なんてなんでもない」、つまり、さきほども言ったように、道を歩いているとき、ときどき「ワッ」と大声で叫びたくなり、駆けだしたくなる衝動と同じような、単純なことだと思ってよいのです。喜びとか悲しみ、嘆き、または、いろいろの人間的感情が、うつぼつとして心の中にわだかまっています。消極的な処世術は、それを外にはきだす体の窓を、ちょうど、聾者（ろうしゃ）か盲人のようにふさいでしまっています。不明朗に抑えつけず、内にあるそれらすべてのものを、目、耳、口、そして全身の毛穴から噴きださせてしまうのです。そうすれば、そのあとから、さらに充実した新しい生気が内に満ちてくるのが感じられます。

自分の自由な感情をはっきりと外にあらわすことによって、あなたの精神は、またいちだんと高められます。つまり芸術を持つことは、自由を身につけることであって、その自由によって、自分自身をせまい枠の中から広く高く推しすすめてゆくことなのです。

だから、こういうことにだけは、けっしてケチであってはいけないのです。パチンコに熱中したり、酒場で必要以上にぐでんぐでんに酔っぱらったり、となり近所のうわさ話に夢中になっている――つまり内にわだかまっているものを、そんなことで気分的にごまかしているのです。それも、たまにはいいでしょう。しかし、もし、ほんとうに自由な表現の喜びというものを体得されたならば、パチンコやおしゃべり以上に、さらにすばらしい、生命の燃焼する場所がそこにあることがおわかりになると思います。

子どもと絵

描く衝動(しょうどう)

絵を描くということは、疑うことのできない、すべての人のうちにある本能的な衝動です。ふだん絵を描くこともなく、そんなことを思ってもみないような人でも、ぼんやりしているときに、もし紙が偶然にそばにあって、鉛筆でも持っていると、自分で気がつかずに、なにかしらん、わけのわからない絵を描いたりするものです。また、そんな描く道具がないときでも、道で人に会って立ち話をしているときなど、手にもっているステッキや、こうもりがさのさきなんかで、さかんに地面に絵を描いています。

なるほど、気をつけているときは、そういうことはしないものですが、気分がゆるんでいるときとか、ほかに気をとられて、フッと対社会的意識の緊張がすきを見せたときなどに、抑えられていた欲望が首を出してきて、自分で知らないうちに、描いてしまうものなのです。ふたたび意識がもどってくると、ややテレて、その絵をめちゃめちゃにかきまわし、消してしまいます。これは、だれでもが経験することでしょう。

表現欲というのは一種の生命力で、思いのほかに激しいものです。このことは、子どものばあいなどを見ると、ひじょうによくわかります。これをはっきり知るために、子どもの世界を観察してみましょう。

どんな子どもでも、さかんに絵を描きまくります。紙がなければ、手あたりしだいに、壁だろうが地べただろうが、ところきらわずです。あなたは、子どもというものは遊ぶことがとても好きで、年じゅう駆けたり、とんだり、はねたり、瞬時もじっとしていないことをご存じでしょう。まったくそこに、生命そのものの躍動を見るような気がします。ところが、そういう子どもが一心不乱に、じっとおとなしく絵を描いているのは、ふしぎに思われるほどです。見ていると、仲間がおもてで楽しそうに、キャア、キャアさわいでいる。そのとき、自分も駆けだしていって、いっしょに仲間にはいりたい肉体的な衝動がたしかにあるはずの子どもが、おもての遊びを犠牲にして、家の中で絵を描いています。それほど描きたいし、楽しいのです。子どもの肉体動として、だれでもが身のうちに持っているものです。

つまり絵を描くということは、たくましい本能の欲求であり、生命の喜び、知的活動の驚異的な躍動と同じ程度、あるいはそれよりさらに激しいのです。

見られたくない

ところで、これほど激しい喜びであったのに、大きくなり、もの心がついてくると、ふしぎに絵を描かなくなります。いったいどうしてなのでしょうか。どんな理由があるのでしょう。

子ども時代の自己中心主義的な精神から、しだいに社会意識が現われてきて、やがて自分と他人（ひと）とを比較するようになります。このとき、絵がうまいと、自信をもって得意になって描きつづけますが、自分が他人（ひと）よりも下手だということがわかり、それを意識しはじめると、だんだん描かなくなるのです。これは小学校の三、四年あたりからはっきり見られる事実です。

あなたの周囲をちょっと見まわしてごらんなさい。小学校の低学年のころはまだいいのですが、だんだん高学年になるにしたがって、すべての子どもがそういう傾向をみせてくるようになります。これは、「まずい」ということが対社会的な、一つの劣等感になり、自分の弱点に感じられてしまうからです。そして、絵を描くことを知らずしらずに敬遠してしまうということになるのです。

女の子などは、ことに神経質のようです。ところきらわず暴力的に描きちらして、おとなたちをガッカリさせていたような女の子が、年ごろになってくると、もう人前では描かなくなります。部屋の中でこっそり描いたりしているのですが、ふいにだれかがはいってきたりすると、あわててまっかになって隠します。おもしろがってのぞこうとすれば、まるでたいへん恥ずかしいこと、悪いことを発見されたように必死になって、クチャクチャに丸め、握りつぶして、ぜったいに見せないようにします。

描きたいという気もちがあって自然にやっているのを、なぜそんなに恥ずかしがるのでしょうか。それは、絵はうまくなければならないものだという考えがすでに頭にあり、自分の描いているものなんか、まずくて、人前に出せないようなものだと思いこんでいるからです。もし、ほんとうに絵はまずくていい、むしろまずいほうがいい、ということになっていれば、平気で描くことができるし、安心して人に見せられるでしょう。

ところが、こまったことに、見るほうがそんなときにかぎって、かならず、「なんだ、下手くそだなあ」と、バカにしたり、ひやかしたりしますから、これはどうしても、見られたくない、という気もちになるのはあたりまえです。

正しい図画教育とは

このような変態的な考え方は、学校教育にも大きな責任があります。最近まで、日本の図画教育は、この点で致命的な誤りをおかしていました。どこの学校に行っても見られる風景ですが、ほとんど同じようにうまくできた絵が、べたべた二重丸や三重丸で飾りつけられ、教室の壁にはりだされてあります。あれはたいへんいけません。

そんなことは教育上あたりまえで、べつだん悪いことではないだろう、と考えられるかもしれませんが、しかし、ぜったいに困ったことなのです。あんなことをするから、多くの子どもが、だんだん絵をよろこんで描かなくなって、人間的にも不明朗になってしまうのです。

絵を描くこと――それは評価されるのが目的ではありません。この原則はおとなのばあいも子どものばあいも同じことです。自分の内にあるものを外に投げだす。本能的な表現欲、その衝動がいかに自由に、直接にあふれだし、結晶し、定着されるか。それが根本です。人に喜ばれようが、ほめられようが、またときにたいへんな商品価値を与えられようが、そんなことは、二義的なものでしかありません。

もちろん、人びとが社会を構成している以上、当然、精神活動は社会的基盤の上に出発し、そこで規定され、価値づけられるでしょう。おとなのばあいは生活の手段になることもあれば、自分を社会に認めさせたい、権力への意志にもなります。

しかし子どもにはそういう面はありません。衝動は純粋で、それ自体としては無目的といえます。ならば児童画についてなにも指導したり、あれこれ言うことはない。ほんとうは、ただ描かせておけばいいのです。

ところが、そのただ描かせるということこそが、むずかしい。そこで教育者としてはいろいろと方法を考え、なにか明確なポイントから子どもを勇気づけ、のばしてゆこうとするでしょう。

だから、すべての絵のいい・悪いをきめるな、というのではありません。くりかえして言いますが、うまい絵にいい点をつけ、それをほめあげてはぜったいにいけないのです。

いちど、こういうことを経験しました。ある学校にいったときに、生徒の図画をたくさん見せてもらいました。一枚一枚繰っていって見ると、鯉のぼりの絵が出てきました。ちょっと見ると、なかなかうまくて、おもしろく描いてあるんですが、なにか、いい、いにせものというような感じがして、いやな気もちでした。このにせものか、ほんものかということは純粋な直観力でしか判断できません。しかし、心をはだかにして、すなおに見れば、一目瞭然（いちもくりょうぜん）、ごまかしようのないものなのです。

ところで、ひょっとその一枚をのけてみると、その下にこんどは、はるかにいきいきとした鯉の絵が出てきました。それですぐわかりました。まえの絵は、これのまね、にせものだったのです。先生に聞いてみると、やっぱり思ったとおり、まえのを描いた子どもは、この絵を描いた子どもととなりどうしで、机をならべておりました。となりの子の鯉をまねして描いたのです。だから、となりの子の型だけはとったわけですが、しかし、それは生きていないのです。

なぜ、こんなことをするのでしょうか。……先生がうまい絵をほめ、そういううまい絵を描かせようと努力するからです。全国の子どもたちのなかで、ゆくゆく絵の専門家になるものは、大海の一滴のようなものです。子どもたちに専門の技術を習得させるために、絵を描かせているわけではないのです。自由な感動を率直に表明させ、人間的な自信をもたせることが目的のはずです。また、たとえ専門家にそだてるとしても、こういう教育法はまちがっているのです。

子どものときに、奇妙に器用な、うまいような絵を描く子どもが、かならずしもすぐれた絵かきになるのでもなければ、りっぱな精神を持っているわけでもないのです。へんにこまっちゃくれた器用な子どもがいるものですが、先生も子どもの親も、それを得意にしていいかどうかは疑問です。ちょっと見ると、まずいような絵でも、はるかに純粋で強いものを表現する子どもがおります。こういう絵を描く子どものほうが、たんに器用な子どもよりもはるかに、芸術的にも、精神的なあらゆる意味からいっても、すぐれているばあいが多いのです。だから、一目見て、下手のように思える子どもにたいして、「おまえは下手くそだ」などと言って、誤った劣等感をあたえたりすることは危険きわまりありません。

うまい子がいると、みんなそれに右へならえして、まねしなければならないという考え方を持たせることは、教育としてゆゆしいまちがいです。もし私が先生だったら、うまい絵をはりだしたり、ほめたりしないで、思うままをかってに描かせます。

ほんとうは絵の具と紙ばかりでなく、あらゆる材料を子どもの身のまわりにおいて、描きたいものは自由に描く、土をひねりたい、針金をひんまげたい、……あるいはなにもしたくないなら、それでもかまわない。あらゆる表現の手段だけをあたえておいて、あとはかってにやらせることができれば理想的です。そして、自分の気もちをもっとも自由に表現しえたもの、つまり自由感のもっとも豊かなものをこそ、すぐれた作品としてほめるのです。おそらく、あまり器用でない絵が多いにちがいありません。なぜかというと、さっきもお話ししたとおり、うまく見える絵はほとんど、なにかを模倣しているばあいが多いからです。だから、まずくて結構だという方針で、どんどん取りあげ、ほめてやれば、教室じゅうの子どもがうまいまずいなどということにこだわらず、したがってバカバカしい劣等感など持たずに、自分自身にたいして人間的な自信を獲得してくるはずです。そして創る楽しみを持つようになるでしょう。うまく描けないからといって、図画の時間に自分自身を苦しめることはないし、めんどうくさいから、となりのうまい子をまねして描いて、先生をごまかすという必要もなくなるわけです。

ところで、じっさいとなると、先生にとって自由な絵と、そうでないものを見分けるのはなかなかやっかいなことです。たとえば、さっき例にあげた二つの鯉の絵などは、見くらべてもほとんど同じように描いてある。どっちがほんものであり、どっちがまねをしたにせものであるかということは、もし先生にすぐれた直観力がなかったら、見抜くことはむずかしいでしょう。

だがもし、それが困難だったとしたら、それは先生たちが絵にたいして自由になりきっていないからです。そして、それは先生たちがかつて受けた図画教育が、時代おくれであり、まちがっていたことに原因があると考えられるのです。

昔の図画教育

私自身の小学生時代をお話ししてみましょう。今日から考えると、まさにコッケイです。文部省の国定教科書に図画のお手本というのがありました。これが全部、陳腐な型どおりの日本画の色刷りで、まつたけ、たけのこがころがしてあるのや、鯛が笹の葉の上にのって籠にいれてあるところなどのような図柄が大部分でした。図画の時間には色鉛筆や水彩絵の具を使って、それをお手本どおり、一分一厘ちがわないように、まねて描くのです。まねがうまいほどお点がよい。私が小学校二、三年のころまで、そういう図画教育がおこなわれたのですが、やがて、新しい時代の動きに刺激されて、さすがにそれは廃止になり、自由画という新しい教育方針が登場してきたのです。

絵は模倣であってはならない。自由な気分で自然を写生し、感じをつかみとればよいという芸術教育です。これは当時、日本をようやく風靡(ふうび)してきた西洋画の印象派の影響だったのです。

ちょうどそのころ、クレイヨンが日本で作られはじめ、図画教育にとり入れられました。私の学校はハイカラだったので、とくに早く、この教育をはじめたのですが、先生からはじめて、アメリカ製のクレイヨンをくばられたときの驚きと喜びを、今でも、ありありとおぼえています。

ご存じのとおり、クレイヨンでは色鉛筆などのような繊細で、正確な線はひけません。だから、写生といっても日本画のばあいのように、花びらを一枚一枚たんねんに写しとるというのではなく、そこにかえって子どもの自由奔放な気もちが自然に出るようになりました。またそれまでは、原色というものはほとんど使いませんでしたが、クレイヨンになってからは、材料の性質もあり、原色がなまのままで使われるようになった。これはたいへんな進歩だったわけです。

しかし、これが今日まですでに久しいあいだ、それ以上に発展しないで、なお図画教育の基準になっているところに、もはやあきたりない、時代おくれの古さがあるのです。自由画は印象派、つまり十九世紀的な自然主義の申し子です。だからその制約、なんといっても見えるままの素朴な自然にたよるという考え方からは抜けられないのです。だから、「ほんとうになんでもよいから自由に描きなさい」と教えて、たとえ、ふつうの絵がうまく描けない子どもにも、人間的な、芸術的な自信を持たせるような教育法ではないのです。

このような、不自由な教育しか知らなかった先生が、どんな絵が自由なんだかわからないというのは、当然ありうることです。しかし、今までお話ししたことを十分にのみこんで、先生自身が自由であることを決意し、自信を持ちさえすれば、自然に、自由な絵にたいする目がひらけてくるにちがいありません。

ところで、「理屈ではのみこめても、じっさいになると、やはりどうも自信がもてない、なにか、ほかによい方法がないか」と言われるかもしれません。それではここで、やや奇抜だが、なかなか楽しい、そしてまったく実現可能なよい方法を提案しましょう。まったく新しい図画教育法です。こんな風景はどうでしょうか。

生徒に絵を教わる時間

はげ頭の校長先生が、生徒の席にいかにも窮屈そうにすわって、クレイヨンでいっしょうけんめいに絵を描いています。額は汗ばんで、先生はたいそう緊張しているようです。それはまわりにいる子どもたちに、描いてる絵をギロリと見られると、ちぢみあがるような思いがするからです。

校長先生は週に一、二回の、「生徒に絵を教わる時間」に出席しているのです。やや離れて、担当の図画の先生が、ほほえましそうに観察しています。——校長先生はまだ教わり方が下手で、なかなか無邪気さを体得できないようだな、と。生徒たちも校長先生の描いてる絵をジロッと見て、どうして、先生はこんなに古くさい、魅力のない色や、形しか描けないのか、とふしぎに思っています。だけど、いまにだんだん、ぼくたちのように、美しい色や形がすらすら出てくるようになるだろう、と希望をつないでいるのです。なぜなら、この子どもたちのところへ毎日一時間ずつ、おとなの先生たちが順番に絵を教わりにくるのですが、とくに、いちばん年とった、尊敬すべき校長先生の進歩に大きな期待をいだいていて、応援しているからです。

これはたんなる夢物語ではありません。ぜひ実現させるべき教育法です。つまり、これからの図画教育は先生が生徒に教わることにすればよいというわけです。

芸術は本質的に、けっして教えたり教わったりするものではありません。それはすでにお話ししたように、芸術がたんに技能ではないからです。自然科学の部門や、また芸ごとのように、技能を習得し、うまくならなければならないものとはちがうのです。この方面での教育というものが、もし、あるとするならば、先生が純真に、しかも巧みに生徒に教わることとです。それによって、先生は自由な絵にたいする目がひらけ、同時にもっとも理想的な教育ができるのです。

これは絵の問題だけにとどまるのではありません。人間性は教わるという受け身の、消極性だけでおわってはならないはずです。今日までの、いつも教わるだけの屈辱的な教育法は、おとなになったのちにも、一生抜けきらない卑屈さを作りあげてしまいます。芸術教育こそ、いい試験場だと考えてよいのです。まずこの面から、みずから教えることによって得られる自覚的な、明朗で堂々とした心情をやしなうための教育に転換させたらよいでしょう。

先生もまた、たいへん勉強になることうけあいです。生徒のなかにはいり、彼らとまったく同じ無邪気な気分で絵を描く。そうしてみれば、おとなと子どもというのは、たんに年齢のちがいだけで、生徒のなかに、はるかに人間的に純粋であり、力強い表現をしているものがたくさんいるのに気がつくでしょう。先生たちはひそかに、自分がどんなに世の中の塵(ちり)やあくたにぶらされて、率直な人間性を失っているか、さらに「自由」にたいして、いかに自信を失っているかに気づき、のんきに教育者だなどとうぬぼれていたことを恥じるにちがいありません。若かったころの純粋と自由を思いだし、それを取りもどさなければなりません。そこからはじめて、正しい教育が可能になるのです。

すぐれた教育者なら、もちろん、子どもがおとなの思いこんでいるよりも、はるかにかしこい観察者であることを、腹の底からご存じだと思う。先生たちがうっかり教育者という意識にいすわって、疑ってみないあいだに、生徒のがわは先生たちのつくったポーズや、知らずしらず身についてしまったずるさを、ちゃんと見やぶっているものです。すくなくとも私の小学生時分はそうでした。偽善的な先生に接して気分はしらけ、絶望したものでした。先生が技巧的に、おのれを取りつくろえば取りつくろうほど逆効果なのです。こういう不必要なカラを先生がぬぎすてるために、いっしょに絵を描く時間ほどいい機会はありません。

先生がうまい必要はないのです。無心に、子どもたちと同じように下手な、しかし明朗でたくましい作品を描いてゆけば、たとえ子どもたちより不手ぎわでもかまいません。そんなことで威厳を失うなどと考えるのは、バカのコッチョウです。今日の子どもたちは、はるかに明朗で、けっしてそれをバカにしたり、あなどったりはしないでしょう。それどころか、はるかに親身な、絶対的な信頼感をいだき、こんどは積極的に先生から教わる気をもつようになると思います。

先生はえらいもの、権威である、というようなごまかしの姿ではなく、生徒と渾然といっしょになって、対等に心をつうじあい、たがいに認めあい、そして卑屈なかげなく教わることは教わる。こういう教育は子どもたちに人間的価値を自覚させ、たくましく明朗な一生を貫きとおす出発点となるでしょう。もし道徳教育というものがあるとしたら、芸術こそ最上の手段ではないでしょうか。

赤丸チョンチョン、子どもの「八の字」

もう一つ、つぎのような問題があります。これも、ほとんど見のがされていますが、たいへん重要なことなのです。

幼稚園や小学校一、二年の子どもがよくお日さまの絵を描きます。

いったい、丸にチョン、チョン、チョンと毛をはやしたようなもののどこに、太陽の実感があるでしょうか。それだけならまだよいのですが、またその下には、花が行儀よく並べてあったりする。もちろんそれは、花の実感によって描いているのではありません。いくら子どもにだって、太陽や花が、じっさいにそんなふうに感じられたり、見えているはずはないのです。まして組じゅうがそろってやっているのですから。

どうしてみんなが、そんなものを描くのでしょうか。子どもは絵が下手だから、こんなふうになってしまう――いや、そうではありません。それならば、もっと個性的な、下手な表現というものがいくらでもあるはずです。これは「お日さまです」「花です」という符丁、つまり子どもの世界の「八の字」なのです。

たいへん便利だから描いているのです。その心理を、ちょっと考えてみましょう。

だまって紙やクレイヨンを置いて、かってに遊ばせておけば、子どもたちはよろこんで、いくらでも絵を描きます。だが、これが図画の時間となると、ちょっと話がちがいます。先生から白い紙をわたされて、「さあ、みなさん、なにかかきなさい」と言われる。きまった時間のなかで、監視されながらなにかチャンとしたものを描かなきゃならない。これは、ややつらい。——感興がもり上がってこなければ専門家でさえ当惑するものです。私もよく目の前に色紙（しきし）などを突きつけられて、うやうやしく「ご一筆（いっぴつ）、どうぞ」なんて言われると、何を描いたらいいのかわからない。新しい絵は型ではないから、「竹に雀」や「八の字」でごまかすわけにはゆかないからです。けっきょく、なにか、ふかしぎなものを描いてあげると、それでも相手は「ハハア」と感心したように引きさがりますが、たいていは気の重いものです。まして、子どもですから、さぞ困ってしまうだろうと同情するのです。

　何か描かなければならない。——お家（うち）を紙の真ん中に描いた。だが、どうもこれでは、まだまわりに紙の白いところがいっぱいあまっている。何を描いたらよいのだろう。当惑していると、となりの子どもが小器用に、赤いクレイヨンでぐりぐりと丸を描いて、チョン、チョン、チョンと毛をはやす。お日さまだ。——なるほど、シメシメ、あれをやれば——というので、まねして、この赤丸チョン、チョンを描いてしまうのです。

どの子どもも、自分のつかんでいる実感としてのお日さまを描いているのではありません。ごまかしのきく、きわめて便利な符丁です。お花も同様です。それからは、ずっと、このテを利用する、しかもクラス全体で（もちろん、子どもたちが共通の符丁をもつことは、社会生活の第一歩であり、外界を知的にとらえる足がかりでもあるのです。だから、それをいちがいに悪いこととはいえませんが、このばあいの問題はそれだけではすまされません）。

ところで、こういうチャッカリした型どおりの絵にかぎって、先生が、「たいへんお上手にできました」なんて、二重丸、三重丸をくれたりすることが多いのです。すると、家に帰ってもお父さんやお母さんがそのままうのみにして、「うちの坊やは絵がうまい」などと、親バカチャンリンに安心してしまう。だから、子どもたちは、こういうものを描けば無難なんだナと思って、いつでも便利な符丁でツジツマを合わせるようになるのです。

おさない子どもだからといって、百パーセント無邪気だと思ったら大まちがい。なかなかおとな以上に抜けめのないのもいます。子どもながら自分以外の世界、社会というものを意識して、それと調子を合わせるずるさは持っているのです。子どもたちが自分かってに描きちらしているいたずらがきを見ると、自由で、のびのびとしているのに、幼稚園とか小学校などで図画の時間に描くものは先生や父兄への義理だてのような、型だけの無内容なものになってしまいます。ジュニア型ですが、これは「八の字」文化へのスタートです。

近年、図工科教育の進歩はめざましく、絵だけではないあらゆる材料、手段を使って、子どもの創造性をひき出し、伸ばす方向にむかっています。先生はその面で、たいへんいい協力者になっているのです。

だから今の子どもたちは、ひとりで、いたずらがきするときよりも、図工の時間のほうがもっと安心して、のびのびと自分のよろこびをぶちまけるくらいだ、心配はいらない、という先生もいます。

この本をはじめて書いたころ、私がはげしくぶつけたかったポイントは、したがってかなり解消しているわけです。しかしだからといって、本質的にこの問題は解決してしまったのでしょうか。

私は永遠の課題として提出しつづけたいと思います。なるほど教育法は進み、外面は自由でモダーンです。しかし先生の好みだとか、いかにも自由らしく見えるような絵が、よい絵だと評価されるようなことはないでしょうか。モダニズムの項でいったように、それも一つの型、おていさいになってしまう危険は瞬間瞬間にあるのです。

私がこのことを、とくに取りあげるのは、これがたんに絵の問題だけではすまないからです。このようにして、自分自身の喜びや確信から出発しないで、便利な型やポーズだけを利用する習慣を身につけてしまうと、おとなになってからも、ほんとうに思っていることを発表することは、世渡りに都合がわるいから、そっちのけにしてしまいます。そして世間の通り相場だけを使いわける、不明朗でけちくさい人間になってしまうのです。

ふだん、ひとが触れあう場所の、いたるところに、その型が見られます。たとえば、ちっとも感謝していないし、おたがいが無関心で、どうでもいいような相手に、「おかげさまで」などと、まるで意味のない、体のいい文句を言って頭をさげる。それだけで人間にたいする義理をすませたようなつもりでいます。こんな、たんなるごあいさつは、むしろ自然な気分を封じてしまうようなものです。この、通り一ぺん、型だけの人間関係のなかで、人はただ符丁として生きているという感じにおちいる、いわゆる常識人の悲劇ですが、すでに幼稚園とか小学校とかいう、りっぱな組織によって、こんなみじめな根性の芽を培っているのです。

自然に生き、自分の気もちをほんとうに伸ばしてゆこうとする人間は、まず、いたるところで残酷に、壁に突きあたります。相手が符丁なら、自分自身の精神も、やはりまた「八の字」でがんじがらめになっていて、おのれの本心すらつかむことができないとしたら、――ことさらその矛盾にめざめてくる青春期には、どれほど苦しむかわかりません。もちろん、芸術家だけにはかぎらないのです。ふつうの社会人として、あらゆる事業に進む人も、自由な人間として仕事をしようとするものはかならず、この身についてしまった「八の字」から脱するために、自分自身の生皮を引きはがすような戦いを、めいめいにやってゆかなければならないのです。

不幸な努力です。これからの人間は、はじめからもっと純粋で、高度な土台から出発すべきで、そのほうが、人間的にも社会的にも強く、正しく、はるかに明朗な自由をつかみとることができると思います。

子どもの自由と芸術家の自由

ここでもう一つ考えねばならないこと、それは、子どもの絵と、すぐれた芸術家の作品との根本的なちがいについてです。

子どもの絵は、たしかにのびのびしているし、いきいきした自由感があります。それは大きな魅力だし、無邪気さにすごみさえ感じることがあります。しかし、よく考えてみてください。その魅力は、われわれの全生活、全存在をゆさぶり動かさない。

——なぜだろうか。

子どもの自由は、このように戦いをへて、苦しみ、傷つき、その結果、獲得した自由ではないからです。当然無自覚であり、さらにそれは許された自由、許されているあいだだけの自由です。だから、力はない。ほほえましく、楽しくても、無内容です。小さい子どもはなにをしても許される。どんなものをかきなぐっても、頭をなでられ、いい子いい子、よくできた——なんて、ほめられる。自分を疑わないし、恥じない。

この自由感は、許されているあいだだけ花ひらく。だが成長するにしたがって、まちがいなくうちくずされ、ひしがれてしまいます。すでに小学校高学年になると、自他を意識しはじめ、もう子どもではないんだ、と内と外の両面から制約が強くなり、ほとんどの子どもの絵は自由感を失ってしまうのです。

ところで、すぐれた芸術家の作品の中にある爆発する自由感は、芸術家が心身の全エネルギーをもって社会と対決し、戦いによって獲得する。ますます強固におしはだかり、はばんでくる障害をのりこえて、うちひらく自由感です。抵抗が強ければ強いほど、はげしくいどみ、耐え、そのような人間的内容が、おそろしいまでのセンセーション（感動）となって内蔵されているのです。

すぐれた芸術にふれるとき、魂を根底からひっくりかえされるような、強烈な、あの根元的驚異。その瞬間から世界が一変してしまうような圧倒的な力はそこからきているのです。

第6章

われわれの土台はどうか

今まで明朗でひろい、新しい芸術のありかた、そしてその世界性についてお話ししてきました。これからの芸術が、人類共通の世界的課題に、こたえなければならないことはたしかです。これは、われわれが当面する、もっとも新鮮であり、今日的な課題です。このことをつかみ取らないかぎり、これからの芸術の問題にはならないのです。

しかしよく考えてみると、世界人であると同時に、またわれわれは日本人であり、この日常の環境こそ、なんとしても切実であり絶対的です。世界的であるということは、けっしてこの現実の土台から足が浮いてしまうことではありません。それどころか、この身ぢかな世界に徹底し、現実そのものをつねに新しく創造してゆかないかぎり、われわれは絶対に世界的な仕事はできないものです。

日常の環境はなんといっても狭くかぎられていますし、特殊性があって、とかく世界的にものを見、作ることをさまたげていることは事実です。この特定の泥の上にある閉ざされた世界と、開かれた世界的な世界は、かえっておたがいに対立する反対物でさえあるのです。ちょうど電気の陰と陽の関係と見てもよいでしょう。しかし、その矛盾のうえに立ち、両極を同時につかみ取るのでなければ、これからのほんとうの芸術はなりたちません。

それがじつは、ほんとうに生きることであり、また芸術の創造になるのです。どうもヤヤッコシイようですが、理論的に言いはじめるとかえってむずかしくなりますので、じかに、事実に則してお話ししてゆきたいと思います。

日本文化の特殊性

文化の袋小路（ふくろこうじ）

その意味で、われわれの置かれている身ぢかな現実を問題にしましょう。今日の日本文化には、まだまだひじょうに変態的なゆがみがあります。これは今日に即さない、封建時代からの惰性的な生きのこりがあまりに多いからです。それは現在は、すでに不必要どころか、弊害ばかりを振りまいています。そういうものをはっきりつかんで、徹底的に取りはらってしまわなければ、われわれ日本人のほんとうの生き方は明朗に盛りあがってはきません。「日本文化」と今日呼ばれているのは、われわれ自身が現在作りあげているものではなく、江戸末期までの過去のもの、そしてその直系、亜流だけをさすという、奇怪な習慣があります。したがって、それは当然ふるめかしい、封建的な様子をしており、現代的な気分、世界的な規模（スケール）からは、たち切られた特殊な感じです。

この文化の系列は大ざっぱに言えば、室町時代にはじまり、徳川三百年の封建制と鎖国によって固定したものだといえます。歌舞音曲、茶道をはじめ、言語でも衣類でも、建築その他のあらゆる近世日本の生活様式はこの時代に、だいたい決定したのです。それは今日の生活感情とかけはなれていることはもちろんながら、またそれ以前の奈良、平安時代の文化とも質がちがっています。私はこれを、日本文化の本来あるべき姿だと考えることには反対です。むしろ、この近世の片よった流れは、日本の文化をゆがめ、不毛にしている悪い条件の研究材料として、冷静に観察する必要があると思うのです。

さて、「日本文化」は一般に考えられているよりも、はるかに特殊です。

これは日本が大陸のかなり高い文化に接しており、つねに、それを受け入れてきたという歴史的な事情に、その一つの原因があります。ほんとうに自分自身の生活から生まれた、素朴で健康なものではない、すでにできあがった、爛熟した外来文化をそのまま、拝借してばかりきたのです。

しかしそのとり入れ方は、かなり生ぬるい、しばしばきわめてご都合主義的なやりかたでした。ほんとうに、まともにぶつかって、自分たちの生活全体が新しい文化によってひっくり返され、根こそぎ変わってしまうというような危険な方法ではなく、お体裁よくとり入れてきたのです。今まで日本の指導者も、歴史家も、この点を日本民族のひじょうにすぐれた長所であるように説明してきました。しかし、文化というものは、オマンジュウのアンだけなめて、皮はいらないというような、そんな仕掛けのものではないのです。こちらにとって都合のいいところというのは、じつは、同時にその反対の、ほしくないものの一面であるにすぎません。平気でいっしょにパクつかなければ、血肉にはならないのです。

　ちょっと余談になりますが、「よきを取り、悪しきを捨てる」という、小ざかしい迷文句があります。これは論理的にいってまちがいです。都合のよいところだけを取るのでは実体はつかめません。こんな考え方が常識になっているのが、どうも気にくわない。私は逆に都合の悪いものをこそ取るべきだと言いたいくらいなのです。そうしたら、かえってほんとうのいいものがはいってきます。外から見て、いいと思っているようなものは、身にならない上っ皮であって、悪いと考えられるもののほうに本質的なものがあるばあいが多いからです。危険をおかし、身を張ってそれと対決し、消化して、それ以上のものをつくりあげてゆくという、たくましい精神でなければ、文化の交流なんて、できません。

これは、明治以後についても言えます。日本は開国以来、西洋の機械文明をいちはやく輸入して資本主義をおこし、軍隊をつくり、それによって世界の強国の一つになりました。しかし、その西洋科学の裏にあって、それをささえている合理主義やヒューマニズム、自由の精神は、べつに利用価値がないと思ったのか、そっちのけにしてしまいました。やがて戦争時代になると、これらはかえって有害、不純なものとして禁止され、排撃をくらったのです。そしてチョンマゲや日本刀時代の精神である「大和魂（やまとだましい）」とか「撃（う）ちてし止（や）まむ」などという神がかった文句で近代的な戦略体制を裏づけようと、むりやりに押し立てました。このこじつけの変態性によって、とうとう世界の情勢や、おのれの実力をも見あやまって、グロテスクな戦争に狂奔（きょうほん）し、国を敗戦にみちびき、挫折（ざせつ）してしまったのです。ご都合主義的に、手段としてだけとり入れた文化の不幸な例だと言わなければなりません。

さて、話は本すじにもどります。そのために日本は大陸とあれほど接していながら、ついに大陸文化の全量、その本質的な規模の大きさをほんとうに理解することはできなかった。

地理的にも、アジア大陸のはしっこにあり、うしろは太平洋という無限にひろがった海によって、他の世界とたち切られています。大陸からさまざまの系統の文化を受けながら、それが新陳代謝によって、他に吐きだされるということがない。いわば日本は文化の袋小路です。そのために、すべてがここに定着し、あとからあとから積みかさなって、ひどく不統一なまま固まり、形式化されているのです。他から受け入れてばかりいて、それを他にあたえるという立場にならなかった文化の特殊性です。

しかもそのうえに、鎖国という条件がかさなっています。ふくろの口がぐっとしめられてしまいました。この中で二番煎じ、三番煎じをやっているうちに、奇妙に発酵して、「日本文化」はまったく特異なかたちをつくりあげてしまったのです。

まったく、はじめから孤立してしまっている種族というものは、世界じゅうのあらゆる地方に見られますが、それらは原始的なら、またそれなりに、それとしての自然な発達のしかたをしているものです。ところが、いわゆる「日本文化」は、今まで述べたような条件をもった、変態的な封建時代の遺産であって、不自然なゆがみを多分にもっているのです。

日本文化は東洋的か

とかく、「日本文化」を東洋的などといって、あっさりかたづける傾向があります。もちろん大陸から多くの影響を受けていますから、いちおう表面にあらわれたところだけ見れば、そのように見えます。しかし、ひとたび内部に目を通し、生活感情にまで立ち入ってみれば、かならずしもそのように考えることはできないのです。

私の十数年間のヨーロッパ生活と、五年にわたる中国の生活をつうじて感じとったところでは、日本と中国の距離というものは、ヨーロッパとの距離とほとんどひとしいくらい、あるいはさらに遠くへだたっているようにさえ思えます。民衆のモラル、つまり道徳感情から美意識、食べものの好み、人間どうしの交わり方など、日本ではまったく想像もできないくらい正反対です。たまたま豆腐(とうふ)とか味噌(みそ)とか、個々の物が同じなのが、かえって妙な気がするくらいです。

私はパリで、画業のかたわら、社会学、民族学をながいあいだ勉強したのですが、そのころ、研究のために世界じゅうあらゆる地方をあるいている学者などに、日本についての意見を聞く機会がたびたびありました。多くの人がたいへんな好意をよせているくせに、世界で一番わかりにくいのは日本だと言うので、のみこむまではやや意外な気がしたものです（民族学というのは、きわめて科学的にいろいろな民族の生態や社会を研究する学問ですから、これはまったく冷静な客観的な意見であって、偏見だとか個々の好みによる価値判断などははいっていないはずです）。

一番手ぢかな食べものの問題にしても、そうです。マレー、中国、インド、アフリカなど、世界じゅうであらゆる変わった土地土地のものを食べてきた人が、日本の食べものだけは、ほんとうに降参したと言います。ふつうは、旅行者といえば、東京に来ても、ホテルあたりで洋食を食べることが多く、日本食を食べに行っても、天ぷらとかスキヤキとかいうような、外国人にむく上等なお料理ばかりです。ところが民族学者ともなれば、その土地のもっとも素朴な、民間のふつうの食べものを、土地の人びとと同じようにして食べることが研究になるので、田舎（いなか）の安宿や民家などで、たくあん、イモの煮ッコロガシ、切り干し大根、ひじきの煮つけなどといった、その時分の、ふつうのお惣菜（そうざい）を食べたのでしょうが、どうも正直にいって、喉（のど）を通らなかった、と言っていました。「味噌汁や、たくあんの味がわからねえやつは……」なんて軽蔑（けいべつ）してもはじまらないのです。日本人だって、しだいに食べ物が変わってきて、今日では通人でないかぎり、トンカツやライスカレーのほうがありがたいのですから。

　また、音楽を専門に研究している人は、たとえばジャヴァの音楽を聞いてもわかる、中国音楽にも心を打たれる、南アフリカとか南洋の未開の土地に行っても、ヨーロッパとはひじょうに違っているが、やはり音楽性が感じられる。ところが、日本の三味線(しゃみせん)音楽だけは、どうしてもわからなかったと言うのです。大陸の音楽をそのまま伝えている雅楽(ががく)や、素朴な民謡などのほうはわかるらしいのですが、いわゆる四畳半音楽といわれている小唄(こうた)とかどどいつ、また、清元(きよもと)などの気分はどうもつうじないようです。昭和の初期から、はやりはじめた今日の歌謡曲の多くも、やはり同様に、ひどく特殊で、あのうらぶれた非音楽的な節まわしは他にはつうじないと思います。

　舞踊(ぶよう)にしても、茶道にしても、味わいはなかなかわかりにくい。外国人にもてはやされるというような声をよく聞きますが、それはなんといっても一部にすぎず、しかも好奇心をそそっているだけのばあいが多い。われわれが外国の文化によってゆすぶり動かされたようにひろくその生活全体を支配する第一義的なものではないのです。キモノやニホンムスメがきれいだとほめるのと、たいした違いはありません。もちろん、それもひじょうに結構なことです。だがそれで外国人が腰をぬかしたように宣伝するのは、宗匠とか芸人、興行師などの興行政策であって、一般の人がそれを本気にしてムキになっては、外国人の目を正しく理解することもできないし、世界における日本文化の立場というものも見うしなってしまいます。外国人がほめたからといって、急に肩身をひろくしてみたりするのは自信のない話で、逆に日本の文化を冒瀆するものです。

もちろん、どんな文化でも、ほんとうには、その現実に生活している人にしかわからないものですが、わからないけれども、他に普遍的につうじるものがあります。独自性とひろい世界性が同時にあるのです。それが、ほんとうの文化です。ところが残念なことに、近世日本の文化のなかに、そういう普遍性を欠いている、日本人だけにしか味わえない特殊なものが多すぎると思います。これはそのなかにはいっている日本人自身には、なかなかわかりにくいことなのです。

ひと言おことわりしておきたいのですが、このように言っても、私は毛頭「日本文化」をけなしているのではないのです。これをとりちがえないようにしていただきたい。過去にはそれだけの理由があってそうなったので、今からとやかく言うべきではないし、それ自体としていいも悪いもないのです。ただ今日なお、それに安心してよりかかり、われわれ自身が、解決しなければならない当面の世界的課題から逃げてしまってはなんにもなりません。われわれが責任をとって、まきこまれずに、現代的立場からきびしく批判すれば、その特殊性のなかからさえ、新しい文化の糧(かて)をひき出すことができるのです。時代おくれの気分をきびしく批判的にえぐり出し、われわれ自身の手によって、明朗に、世界と共通の立場から、新しい日本の伝統をきずきあげてゆかなければならないのです。

まず、今日までの日本の芸術のありかた、そして日本人自身がどのようにそれに対しているかを検討してみましょう。

芸術と芸ごと

芸能の世界

芸術について、一般にたいへんな見当ちがいをしています。今日、多くの人がほんとうに芸術だと思いこんでいる、また創る側からも、「芸術」と称して、世間ではばをきかせているもののほとんどが、じつは芸術ではないのです。

「それじゃあなんだ」とおっしゃるでしょう。それは「芸ごと」とか、「芸」とかいうものにすぎないのです。私は芸術と芸というものを、はっきりと区別しなければいけないと主張します。久しい以前から言っていることなのですが、なかなか徹底しないのが残念です。

この二つはちょっと同じように見えます。芸ってのは、芸術よりも術が少ないだけ、なにか芸術よりちょっと足りない、芸術の半分くらいなのが芸じゃないか、くらいに思っている人もあるかもしれませんが、そうではありません。この二つはまったく正反対のものです。その本質をごっちゃにしては、絶対にいけないのです。では、どういうふうに違うのでしょうか。

芸術は創造です。これは、けっして既成の型を写したり、同じことをくり返してはならないものです。他人のものはもちろんですし、たとえ自分自身の仕事でも、二度とくり返してはならない。昨日すでにやったことと同じようなことをやるのでは、意味がないのです。まえにもお話ししたように、美術史のページを開いてみてもわかることですが、エジプトから今日にいたるまで、ページを繰ってゆくにしたがって、芸術の形式はつぎつぎに変わってゆきます。よかれあしかれ、けっして同じものが二度くりかえされるということはありません。一枚一枚が新しく姿を変えています。つまり、芸術の技術は、つねに革命的に、永遠の創造として発展するのです。これが芸術の本質です。

ところで、芸ごとはどうでしょうか。これは芸術とは正反対です。つねに古い型を受けつぎ、それをみがきにみがいて達するものなのです。芸術が過去をふり捨てて新しさに賭けてゆくのに、芸道はあくまでも保持しようとつとめます。何々流の開祖(かいそ)、家元というのがあって、だれでもがそれと同じ型をまねて、その芸風が師匠に近くなればなるほど上達です。やがて「免許皆伝」、「奥義のゆるし」となり、定められた形式のなかに完成をみるのです。

そんなことが芸術で考えられますか。ダ・ヴィンチの『モナ・リザ』とか、ピカソの『ゲルニカ』にそっくりまねた、寸分ちがわない絵を描いたから偉い絵かきだなんてことはちっともありません。それどころか、そんなことをしたら絶対に失格してしまいます。このことはもちろん、疑いもなくおわかりになるでしょう。

ところが、じっさいには、この本質的な違いがあんがいに理解されていないのです。日本画の絵かきさんなんかが絵を描くところを見ますと、まず自分の尊敬する古今の大家の画集をいろいろと集め、それをかたわらに、ずらりと並べて、参考にして描いています。昔からの習慣です。また洋画のほうでさえ、私はこんな話を聞いたことがあります。ある有名画家Kから、ある人がフランスの画集を借りました。二、三週間してからその画家に会うと、「ああ、いいところで会った。あの画集をかえしてくれよ。そろそろ制作しなきゃいけないから」と催促されたというのです。実話です。これを聞いて笑ってしまいましたが、こんなことがべつにおかしいとも思われていないらしいのです。芸ごと精神です。

さて、芸ごとには、かならず家元制度というのがあります。これは同一の型をきわめて厳密に後世に伝えてゆく、たいへんな組織です。絵画の家元制度についてはすでにお話ししましたが、学問の世界にさえ、これがあったのはあきれるばかりです。だが、よく考えてみれば、今日なお、そのなごりがあるのです。学界のガンになっている学閥、派閥というヤツがそれです。

しかし、なんといっても、この遺風が典型的に保たれているのは、芸能の世界です。たとえば、長唄とか清元のお稽古などを見てもわかります。『鶴亀』だとか、『越後獅子』とかいうような古い唄を、繰りかえし繰りかえし何年もかかって、お師匠さんとまったく同じ節まわしで、うたえるようになるまで習いとるのです。「どうも、いつも同じでは退屈だ」と言って、オクターヴあげてソプラノにしてみたり、あげるところをバスにおとしたり、ひっぱるところをシンコペーション（切分音）にしたりして、「このほうが気分が出ておもしろい」なんて言ったら、とたんにお師匠さんからどなりつけられてしまいます。それどころか、もう今日かぎり来なくてもよろしいと破門され、おもしろくない結果になることうけあいです。

こういうものは、お師匠さんのやるとおりを繰りかえして、その型を覚えることがたてまえなのですから、それから少しでもはずれた歌い方をすれば、もちろんそれは、もうその流派のなかにはいらない。お師匠さんでさえ、家元でないかぎり、かってに新しい面を開拓するなんてことは、許されないのです。どうしても芸術的良心があって、おのれを貫きとおしたい人は、その流儀をはなれるほかないわけです。そして何々流というのをべつにこしらえる。

だが、これは言うまでもなく、たいへんなことで、けっしてだれにでもできるというものではありません。すでに、かなりの地位と、あらゆる意味での力を持っていなければなりません。かつてはこのようにして、ときどき、独自の名人が出て分派を開いたこともあったのですが、しかし芸ごとの世界では、それもただちに固定してしまいます。家元制度というものは、その門下から新しい分派が出てくることをひじょうに警戒し、嫉妬ぶかく抑え、自流の世界を守ろうとするのです。そのためには、じつに周到で、うまくできています。だから芸術の絶対条件である自由とか独創などを主張しようとしたら、ただちに食いっぱぐれて、生活できなくなってしまうわけです。

封建的な制度に窒息させられ、ギリギリ縛りつけられて身動きがとれない、こんな土台からは、これからの芸術的発展などは、ぜったいに望めません。

邪道(じゃどう)が正道(せいどう)である

このように、封建的な家元制度で抑えつけられた芸ごとは、新しくどんどん伸びてゆく力はなくて、内に内にと固定し、形式化してゆくのです。あらゆる芸ごとの世界のなかにある流派、たとえば、花柳流(はなやぎりゅう)とか、清元とか観世流(かんぜりゅう)とかいうものには、ギリギリまで固定した型がきびしく守られていて、独自性を出して、それからすこしでもはずれると、これを邪道と称して、たちまち排撃されます。

今日、新しい絵を見るときにも、よく「邪道だ」などとわかったような悪口をたたきます。まったくへんな言い方です。芸術には邪道とか正道などということは絶対になりたたないのです。というのは、今までくりかえしてお話ししたように、古い型を否定して、新しい、だれもが想像できなかったようなものを創りだしてゆくのが芸術の本質だからです。その意味で邪道とののしられたほうがかえって正道のわけですが、日本人はとかく「邪道」といえば悪い、ダメなものと、信じてしまう。芸道の形式主義からきた考え方が、しみこんでいるからです。芸術にとって、それはまことに不幸な精神と言わなければなりません。

さて、流儀どおり型をまもってゆくのが正道、本道だという信念があるから、邪道などという言葉があるのですが、この「道」というのは、茶道にしても、華道、書道、はては剣道、柔道にいたるまで、まことに封建的な型や雰囲気をまもっているものです。したがって、けっして素直ではありません。

たとえばお茶だって、ただ飲ませてはくれないのです。下手な飲み方をしようものなら、格好がつかないし、だからといって簡単で便利な飲み方を新しくくふうしたら、もちろん、邪道ということになります。われわれからすれば、あんなに堅ぐるしくすわって、やかましい約束ごとでまごつかなくたって、ただ、茶碗を手にとって飲んでしまえばいい。オヘソに流しこんだらもちろん邪道ですが、口から胃袋に入れるのなら、文句なしに正道だろうと思うのですが。お茶が飲みたいときに、早く飲むほうがかえって正道で、しびれをきらしながら飲まされるお茶などがうまいというのは、芸術のありかたから見れば、むしろ、はるかに邪道にちがいないと思うのです。

ところで、その道の達人、おえらがたになると、かえって洒脱で、どんなに型をやぶって飲んでもいいなんて教えてくれます。いつか裏千家によばれたとき、キサクな家元さんが、自分からドカッとあぐらをかいて、「こんなふうにして飲みゃあいいんですよ」とたいへん気楽に、お茶をごちそうになったことがありました。しかし、そういうふうに磊落にやるのも、やはり家元さんだから文句が出ないのです。もし、ほんとうに千さんの言うように、だれもが、どんなふうに自由に飲んでもかまわないんだ、というようになったら、まず家元自身が失業して飯の食い上げになってしまうでしょう。

お花の作法のうるさいこと、書画骨董、歌舞音曲の道にいたっては、さらに百鬼夜行の観があります。ああいう型やしきたりの類が、芸術とまったく無関係だということはもう繰りかえして言うにはおよばないので、この本を読んでおられるあなたには、もうとっくに判断がつかれたことと思います。

右を見ても左を見ても、ほとんど「芸術家」にお目にかからない今日、芸術の問題を徹底させるのはたいへんむずかしい。芸術についていっているかと思うと、いつのまにか、芸談にすりかわっている、ということがよくあります。あの人は絵を描くから、ピアノをひくから、だから芸術家だなんて、とんでもないまちがいです。しかも絵かきや音楽家自身も、自分は芸術家だと、そんなポーズでいい気になっている。今日なお、芸術の権威などといわれている人たちのほとんどが芸人、職人にすぎません。何べんも言ったように、芸と芸術、この本質的なちがいを多くの人が理解しないでやっているから、絵や音楽の紹介でも批判でも、みなあいまいになってしまうのです。不毛のサンタンたる原因がそこにあります。

「芸術」という言葉の身元は

ところで、芸術という言葉自体は、はえぬきの日本語ではありません。明治時代に西欧近代文化の輸入とともに、新しく導入された近代的観念です。幕末の思想家、佐久間象山は「東洋の道徳、西洋の芸術」といったそうですが、このときは、まだ今使われているような意味ではなく、学問、技術というような意味だったのでしょう。もっと前、江戸時代には剣術の本の題に、「芸術」が使われた例があります。武芸の芸、剣術の術です。

それが、今日いわれている意味に使われはじめたのは、明治の末から大正のはじめにかけてです。

ついでにちょっと横道にそれますが、「恋愛」という言葉だって、やはり明治時代に新しくつくられた日本語です。つまり、日本にヨーロッパ文明が輸入されて、はじめてできあがった言葉で、キリスト教的な伝統の色彩が濃い、そしてまた西洋の近代思想に裏づけられた言葉なのです。ですから、恋愛というと、なにかハイカラで清浄な、崇高（すうこう）な感じがします。それが、明治、大正時代からはやりだしたというと、ではそれ以前、いったい日本の男と女はなにをしていたのだ、ということになりましょう。イロゴト（色事）という言葉があります。近松（ちかまつ）の世話物（せわもの）に登場する男と女のドラマは、もっぱらイロゴトでした。

ところが、恋愛という言葉がはやりはじめると、ネコもシャクシも、「恋愛している」というしまつになりました。もし、「あたしはイロゴトしてるのよ」などというものなら、ギョッとする。なんとなくみだらに聞こえます。恋愛していると思っているヤツをつかまえて、「キミはイロゴトちゅうか」などといったら、ぶんなぐられてしまうでしょう。しかし、聞こえはあまりよくなくても、実質は同じことなのです。あるいは、イロゴトよりももっときたならしく、みだらなことをやっているのに、恋愛ヅラをしているのが、はきすてるほどおります。

フランス絵画史は語る

「芸術」という言葉についても、同じようなことがいえます。たんに職能的であるにすぎない芸ごとが、芸術というと、とたんに深刻な、高級な雰囲気を伝えるのはおかしなことです。

芸術の本場(奇妙な言葉です)と思われているフランス、パリだって、じつは五十歩百歩なのです。

絵画が芸術になったのは、今から百年ぐらい前のこと。ちょっと信じられない気がしますが、まだそれくらいしかたっていません。

十八世紀ごろまでは、絵かきは芸術家ではなかった。家具屋や大工や石工や織工と同じように画工、つまり職人だったのです。まあ伝統的に、そういうものの中では絵がいちばん高級ということになっていたようで、メートル(先生)といって尊敬され、アカデミーなどもありましたが、それは土工よりは大工のほうがいばっているというようなもので、本質的な差はありません。

このころは絵かきは貴族の注文に応じて絵を描いていました。「第5章　絵はすべての人の創るもの」でお話ししたとおり、気に入るような絵を描く職人が、いちばんえらい貴族、フランス王とか、皇帝にお出入りを許されるわけです。そして、王様や王妃のポートレートを描いたり、宮殿をかざったりする。へんに芸術家意識なんかもって、芸術とはこうでなければならないなんて、宮殿の壁にかってな絵を描いたり、王様や王妃の顔をデフォルメ（ゆがめる）して、たとえば鼻をひんまげ、このほうがおもしろいなんて言ったら、たちまちお払い箱です。

逆にまがった鼻や、鼻ペチャなどは、すっとすじをとおして、いかにも威厳がありそうに、美しく描いてやれば、気に入られて大先生ということになります。今日だって、お見合いの写真などは、修整して、みんな美人にしてしまいます。実物そっくりではなくて、それよりきれいに写してくれる人が、うまい写真屋さんということになって、繁盛するわけです。

ところが、フランス革命（一七八九―九九年）の結果、貴族階級は打倒され、ブルジョアジーが社会のヘゲモニーを握ることになりました。今まで絵かきをかかえていたお得意先が首をチョン切られ、急にいなくなってしまったわけです。絵かきはどうやって食っていくか、呆然としたにちがいありません。

ところが、新しい権力を得たブルジョアたちは、やがて近代資本主義の発展とともに生活が豊かになってくると、貴族の豪華な夢をうけつぐようになります。客間に絵画をかざるようになり、彼らは画家の新しいお客になりました。しかし、その数は貴族とは比較にならないほど多い。そして前のようにお出入りとか、おかかえという直接の関係はなくなって、展覧会というような、それにかわる市場が盛んになってきました。

絵かきはアトリエで、いっしょうけんめい絵を描きます。が、かならずしもだれが買うかわからない。どんなところにかざられるのか、イメージをもつこともできません。なんでもいいから、自分の好きなものを純粋に思う存分描いてみろ、気に入ったら買ってやる、という取引きです。だれかに気に入られるかどうか、売れてみなければわからない。そういう、つまり資本主義的な、非情な関係に変わってきたのです。

以前は、××侯爵はこういう色あいがお好きだとか、○○侯爵夫人のお気に入るにはこういうふうな味を出せばいいとか、注文主の好みがはっきりとわかっていました。ところがそれがすっかりご破算になってしまったのです。

まず、だれのために描くのか、したがって何を描いたらいいのか——、絵かきは苦しみます。

描かなければならない真の絵とはなんだろう。いったい絵画とは、なんぞや、という問題になった。そういうことを自分の責任において、とことんまでつっこみ、社会、人類に対して、これだという一つの答えを出さなければ絵が描けない。

いわばお先まっくら、自分の前には何にもないのです。虚無と対決して、自分の力で新しく創造してゆく、たいへん苦しいけれども、生きがいとして、全精神的にぶつからなければならない問題です。つまり、絵画とはなんぞや、ということです。

この苦しみ、この虚無をのりこえて、はじめて、絵画は芸術になったのです。

考えてみればわかることですが、職人はこういう問題について考えこんだりしないでしょう。建具屋さんを呼んで、ここにこういう障子をはめたいんだ、といえば、「へえ」と寸法をはかって、約束の日限には注文したとおりの障子をかつぎこんでくる。敷居にはめてみれば、スーッと動いて、じつに気持のよいものです。なにも余計な文句なんかなく、注文主の思ったとおり、ピタリとはまる。これがもし、えらく芸術家的な建具屋さんで、頼まれたとたんに、いったい障子とはなんぞや、自分はなんのために障子をつくるのか、なんて深刻に考えこんでしまうようだったら、どうもぐあいがわるい。

絵かきもこれと同じことで、職人だったあいだは、絵画、そして芸術とはなんぞやなんて問題はなかった。ただ注文された仕事を、できるだけ注文主の気に入るように手ぎわよく仕上げればよかったのです。

十九世紀にはいってから、絵画は芸術の問題として、純粋な絵画性を追究し、発展してゆきます。自然主義、印象派、そしてさらに進んで、一方は立体派から抽象画にいたるまで、他方はダダイズムからシュールレアリスムをとおして、ともに現代芸術の運命を背負っているのです。

技術と技能

つぎに芸と芸術の区別をテクニックのほうで考えてみると、さらにはっきりしてきます。ちょうど芸と芸術を区別したように、ここでは「技術」と「技能」ということを分けて考える必要があるのです。

芸術の本質は技術であって、芸の本質は技能です。

技術は、つねに古いものを否定して、新しく創造し、発見してゆくものです。つまり、芸術について説明したのと同じに、革命的ということがその本質なのです。

このことを、ちょっと考えてみましょう。人間は、石器時代の、木片とか石ころとかいう簡単な道具をつかった、もっとも素朴な技術から、今日、二十世紀のおどろくべき大きな生産技術まで発展させてきました。人間の歴史は技術の歴史だと言ってもよいのです。これは、つねに創造的に古い技術を否定して、新しい技術が生まれてきたということです。

否定するという言葉は、ケチンボ根性や臆病者（おくびようもの）にはとかくなにか危険であり、損することのように敬遠される傾向があります。ただ、ものをなくしてしまうことのように形式的に考えられやすいのですが、ほんとうはそういうことではないのです。たとえば、身ぢかな乗りもののことを考えてみてください。自動車が発明されれば、駕籠や人力車、馬車などという不自由な乗りものは、ひとりでに消えてなくなってしまいます。自動車だけを考えてみても、おもおもしい箱型のガタガタとすごい音をたてて走るような旧式な車は、スマートな流線型で、乗りごこちがよい新式なやつが出てくると、やはりちょっと恥ずかしくて乗りまわせない。しかも、新しいほうがどんどん生産コストが安くなってくれば、いやおうなしに姿をひそめてしまいます。

これが技術のうえの否定ということなのです。糸車やカタンコトンと杼を渡すようなはたおり機などがなくなったのは、紡績機械が発明されたからであることはご存じの事実です。なにも古いものをハンマーでぶっこわしたりするような手数をかけなくても、それよりも便利ですぐれた新しい技術を創造することによって、現実社会ではきわめて自然に古いものはなくなってしまうのです。

そういう意味で、人間の技術の歴史を見ると、人類文化のはじめには石をかいて道具をつくり、それで料理をしたり、獣を殺したりしていたのが、やがて石器にかわって、銅が使われるようになり、鉄が発見されます。さらに同じ鉄でも、今日は超高硬度の鋼になり、道具は発達して、ついに精巧をきわめた機械に発展し、古い技術はすべて否定されてしまいます。

この移りかわりは当然、人間の頭や感情をも変えてしまうのです。いくら伝統主義者で、むかしの東海道五十三次の風趣をなつかしみ、汽車旅行の無風流をのろう趣味人でも、いざ、じっさいに大阪へ商用で出かけるとか、親戚知人をたずねるようなばあい、東海道五十三次をテクテク歩いたり、駕籠をかつがせて、宿場宿場を何十日もかかって、ゆられて行く人はないでしょう。どんなものずきでも変人でも、そんなことはしません。

それでも汽車ならばまだ〝汽笛一声新橋を――〟というような情趣がないこともありませんが、今日ではもっと速くて、あっけない飛行機ができ、さらにジェット機となると、もうまったく旅情だの風趣などというものとは縁が遠い。テクテク歩いたり駕籠にゆられたりして旅した人の感じ方と、飛行機で成層圏を飛ぶ人の感じ方は、まったくちがうわけです。

好むと好まざるとにかかわらず、技術は人間の歴史を発展させ、考え方を変えてゆくものです。時代の生活感情から美意識まで、技術が徹底的にくつがえすのです。

ところで、技能とはどういうものでしょうか。技能は、まさに技術とは正反対の性格をおびています。古いものを否定してどんどん前進してゆくのではなくて、同じことを繰りかえし繰りかえし、熟練によって到達するのが技能です。「腕をみがく」と言いますが、これは技能なのです。

たとえば、家を建てる建築の技術について考えてみましょう。技術と技能の本質的な違いがよくわかります。近代的なビルディングを建てるばあいには、工事にかかるまえに、まず建築家がそれを設計して図面をつくります。そこに動員されている技術というのは、じつにたいへんなものです。素人が見たのでは、まるでわけがわからないような力学的な計算、さまざまな新しい材料についての知識、色彩とか美学的な心づかい、そのほかあらゆる専門家の協力によって、もっとも高度な新しい技術が総合され、どんどん使いこなされてゆきます。十年前のビルと今日のビルとがまるで違っているのを見てもわかるように、それはしょっちゅう新しい技術をとり入れて、今までやったことのないようなものを作り出してゆくのです。近代建築の歴史は革命の連続です。

ところで、大工さんの仕事はこれとはまるで違います。大工さんが、ふつうの日本風の木造家屋を建てているところを見ると、どうしてあんなに簡単なのかと、ややがっかりするくらいです。間どりはこうこう、玄関はこんなふうにして、客間は何ふうと、せいぜい、それくらい言えば柱が立ち、敷居がつき、床の間ができて、型のとおりにできあがってしまう。頭なんか使わないでも、体を動かしていれば自然にできてしまうというような感じです。これは、何百年とつづいた、しきたりのとおりにやればいいからですし、また長年身につけてしまった熟練がものをいうからです。だが、こういう書院造り(しょいんづく)や、数寄屋(すきや)がかった日本建築を建てさせれば、天下にひびいた腕のいい棟梁をたのんで、モダーンな鉄筋コンクリートの家を建てさせようとしたら、これは手も足も出ないでしょう。やはりコンクリートはコンクリートの性質、強さ、その他いろいろなことを知って作らなければ、たいへんなことになってしまいます。つまりこういう大工さんは腕はみがいてある、技能は持っているけれども、新しい建築に応じる技術はないのです。型のとおり、繰りかえすことならうまいけれど、新しいことには頭も腕もはたらきません。

ところで、巨大なビルディングを設計するような、最高の技術をもった建築家に、「あなたは、あんなのが建てられるくらいなんだから、床柱をけずってくれ」と言ったって、これは、むりな注文です。そういう腕を持たずに、りっぱなビルが建てられるのです。これは技術です。

さきほど、「名人芸」の項で、長年の年季によって得た、「コツ」とか「勘」だけによって作りあげるとお話ししました。この名人芸が、つまり技能の至れるもの、最高のものなのです。

こう聞けば、ただちに、技能が芸ごとの本質であることがおわかりになると思います。「芸ごとを仕込むなら、子どものときからでなきゃダメだ」と言われるのは、やはり技能だからです。技能は、頭よりむしろ体におぼえこませ、「ならい性となる」で、ひとりでに出てくるようにしたほうがよいものです。だから、なまじ理屈なんか考えない、心身のやわらかい子どもの時代のほうがよく身につくのです。犬や猿を訓練して芸を仕込むのと同じようにそだてて、特殊技能家をつくりあげるわけです。

芸術は決意の問題

芸術のばあいは、ちがいます。技能は必要ないのです。無経験の素人でも、感覚とたくましい精神があれば、いつでも芸術家になれることは、前の章でゴッホ、ゴーギャンなどの例をひいてお話ししたとおりです。今日のヨーロッパでも、戦争ちゅうの圧迫と戦後の解放感から新しい啓示をえて、まったくの素人から、中年になって絵かきに転向し、現在、世界的に名をなしている人がたくさんいます。私のパリ時代の友人だけを見ても、まず哲学者だったアトラン、ドイツから亡命して無職だった文学青年のジェルマン、詩人だったプリエン、写真家のユバックなどがいますし、さらにイタリアで活躍しているコルポラは、かつてパリの私のアトリエにインタヴューにきた新聞記者でした。戦前は絵を描くなんて考えてみたこともなかったような連中です。

それが今では、それぞれ異色のある作品を発表して、芸術家として第一線で活躍しています。私がしたしかった人たちだけでも、こんなにいるのです。いったい、世界じゅうにはどのくらい出ているかわかりません。

　こんなことは、芸ごとのばあいでは、まったく思いもよらないことです。たとえば、すでに中年の私が急に心をあらためて絵かきをやめ、清元や長唄をならって、この方面をおさえちゃおう、と決意しても、残念ながら、どうシャッチョコ立ちしたって、そんじょそこらのお師匠さんよりうまくなることは、できっこありません。これには、われながら太鼓判をおします。

　また突然、演技能力にめざめ、強烈なインスピレーションが湧いてきたとしても、たとえば忠臣蔵の七段目、大星由良之助をやるとしたら——半年や一年の修業では、とうてい見られたものにはならないでしょう。たいへん変わった趣向のものならともかく、先代鴈治郎かなにかのような、いかにも歌舞伎らしい由良之助の味はとうてい出せっこない。おそらく四十七士も切腹できなくなるにちがいありません。

　さらに発心して大工になることを決め、水ごりをとり、お百度をふんで神信心をし、たいへんな決心で、しゃにむにやってみたところで、鉋一つ満足にかけられるはずはありません。もしお望みならば、あなたのお家を建ててさしあげてもいいです。ただし、よほどの覚悟ではいってください。三日以上はけっして保証しませんから。まあそれよりも、天才的なひらめきはなくても、子どものときから年季を入れた、平凡な大工さんに建ててもらえば、まず二十年や三十年は安心して住める家が建つというものです。

芸ごと、技能は思い立ったり、精神力だけでは、けっしてできるものではないのです。ところが芸術のばあいは、まったく事情がちがいます。ゴッホ、ゴーギャンの初期の作品など、かなり絵の具の塗り方が、たどたどしい。しかしマイナスどころか、それが逆に精彩をはなち、すばらしい作品になっているのです。「芸術は、決意の問題だ」と、まえにお話ししましたが、決意さえすれば、その精神力で技術がささえられる。だから、あなたも今日ただいまから、芸術家になることが可能なのです。ただし、美人が抜けでてくるようなやつは、いくら決心しても、ムダです。それは芸ごと、技能の領分だからです。

ところが線を五、六本、思うぞんぶんにひいて、なんでもかまわないから表現するというのなら、あなたの精神力がすぐれてさえいれば、それに比例して新しい技術がおのずと発見されます。そしてそれは、たとえ、うまそうでなくても、りっぱな作品になる。また逆に、いくら腕があって、朝から晩まで絵ばかり描いて技能を鍛練していても、まったく芸術にならないこともある。いや、むしろそのほうがほとんどです。ここに芸術の凄さ、恐ろしさがあるのです。きれいなもの、上手なものは、見習い、おぼえることができるが、人間精神の根元からふきあがる感動は、習い、おぼえるものではありません。なるほど、何十年と年季を入れた棟梁の鉋のかけかたは、たしかに見ていても気もちがよい。職業野球（プロ）の名選手のあざやかなプレーは、胸がスッとします。けれども熟練だけのうまい絵というやつは、これはちっともおもしろくないのです。

ところでこの芸と芸術の区別が、わが国の芸術の権威者たちにはみじんもわからないらしい。ピカソやマチスなど、現代絵画の大家たちに対するほめ言葉を聞くと、まったく象徴的です。「彼らは、なんといってもたいしたものだ。だが、それはやっぱり、何十年という年季を入れてるからであって、日本のモダンアートなんかはとても問題にならない」などと、バカなことを言っています。外国の権威をたてにとって、日本の現在やっている人間をたたくという根性も気にくわないのですが、こんなまちがったほめかたはありません。ひいきの引き倒しというやつです。

考えてもごらんなさい。ピカソにせよ、マチスにせよ、彼らが二十世紀芸術のチャンピオンとして、真に世界にかがやくピカソ、マチスになったのは、いずれも二十代・三十代の若き日においてです。年季なんかあるはずはありません。しかも一見、素人的な表現をとりはじめ、革命的に、それまでの年季を土台とした、熟練のいる、職人的な絵画形式を根底からひっくり返したからこそ、ピカソでありマチスになったのです。

ピカソ自身が、「私は日ごとに、まずく描くことによって救われている」と言ったとおりです。

年季を入れるとか腕をみがくとかいうことに引っかかっていることは、芸術にとってどんなにマイナスであるかを、彼はちゃんと知っているし、また、たくましく実践しているのです。ことに最近の彼の作品は、凄いほど奔放です。

しぶみと、なまなましさ

ところで、芸ごとのほうはどうでしょうか。いまお話ししたとおり、ここでは年季を入れたうえの熟練が必要なのです。だからやっぱり、晩年にならないと名人の境地にいたれないようです。つまり、芸術があくまでも若さ、新鮮さを尊ぶのにたいして、芸ごとのほうは必然的に敬老的です。もちろんこれは封建道徳でもありますが。

音曲などは、よい例です。年とった家元とか、お師匠さんの芸風(げいふう)を尊重するゆえか、どんなに若い人が歌うときでも、年相応のなまなましい声は出しません。年よりのしわがれ声をまねて、しぶくおさえるのです。何十年も喉を使いつぶして出なくなってしまったのを、むりにしぼり出すような風情(ふぜい)が尊ばれます。書画のばあいでも、文学のばあいでも、やはり同様です。奇妙に人生を達観し、つまり今日の現実からはなれてしまったような味わいが出てこないとほめません。それが「枯淡(こたん)」とか「しぶみ」とかいって、日本芸術の最高の味になっているのです。老熟や、おとなの風情だけが値うちのように思われています。

もちろん、それにはそれなりのよさがあるかもしれません。だが、それはなんといっても、限られた世界のよさです。さんざん人生をあじわいつくし、苦労も楽しみも十分に経験したあげく、世の中をあきらめ、なまなものはすでにない、枯れた余生をおくるご隠居さんなら、しみじみとするでしょう。だが、これからウンと張りきって、たくましくやってゆこうという、情熱に燃えている人間にはピンとくるはずはないのです。

現代の芸術には青春がなければなりません。あれだけ年とった人がこんなにもわかわかしいものを描く、ということが、逆に感嘆の言葉になるべきです。ピカソのような高齢者のなまなましい作品はよい例です。

さらに家元制度を土台にした芸ごとには、策略的な神秘主義があります。じつはなんでもないものを、奥義、極意、秘伝とかいって、「虎の巻」まで持ちだしておどかして権威をまもろうとするのです。芸ごとの世界ならどうでもかまわないのですが、このような神秘主義が今日の日本の芸術界を全体におおっているのは、まったくなげかわしい事実です。芸術がきわめて高いもの、深いもの、凡人にはとうていおよびもつかない、たいへんなことのように神秘化されています。「えらい人」はみんなそういうふうに説いているのです。芸道時代の遺風です。

私は、はっきりと言います。芸術なんてなんでもない。人間の精神によって創られたものではありますが、道ばたにころがっている石ころのように、あるがまま、見えるがままにある、そういうものなのです。すなおに見れば、これほど明快なものはないはずです。

さて以上、芸術と芸との本質的なちがいを、いろいろな面から説明しました。このようにお話しすれば、この二つのものがまったく正反対のものであることが、よくおわかりになると思います。ところで、今日、芸術界の権威たちは、全部この点をごっちゃにしているのです。あいまいな、半分封建的な芸道根性のままで、芸術についてしゃべっています。たとえば、ほめ方でもけなし方でも、いまお話ししたように芸術の立場から見るとまるでナンセンスな芸ごとの基準、芸道にだけあてはまる言葉をつかったりするのです。だから、芸術の問題はすこしも進まないし、はっきりしてきません。しかも彼らが権威ぶって押しつけるので、一般の人までがたいへん混乱してしまうのは、まことに困ったことです。

日本的モラル

謙譲(けんじょう)の美徳

さて、日本人の芸術観を批判してきましたが、さらに根本的な問題は、近代日本人の性格、日本的モラルにあるはずです。

戦後、封建道徳があらゆる旧制度とともに否定され、一時は崩壊しそうに見えたのですが、しばらくすると、いつのまにか以前と同じような権威主義の不明朗な姿を復活しはじめてきました。なぜこのように根づよいのでしょうか。あれだけ多くの犠牲をはらったうえに、徹底的に批判されたモラルが簡単によりをもどしてきたというのは、根本の精神がほんとうに変えられなかったからだとしか考えられません。

人間の性根(しょうね)というものは、時代とともに簡単に変わるものではありません。骨(ほね)の髄(ずい)まで前近代的な気分でそだった人間が、戦争に負けた、制度がわるかった、などと反省したところで、旧式な好みだとか事大主義的な根性が、一朝一夕で消えてなくなってしまうわけではないのです。したがって社会のあらゆる層の裏がわに、反動的な気分がまだまだのっぴきならないほど巣くっています。そうこうしているうちに、それがまたじわじわと上っ皮にしみ出し頭をもたげてきます。いちおう制度は変えた、口に出すときはお体裁よく民主主義、民主主義と言いながら、中身がまったくべつものだから、いろいろと混乱がおこるのです。もちろん、だれでもごまかしたり片よっているわけではありません。身についてしまったものは、なかなか自覚はできないし、したがって抜けきることもむずかしいのです。

　では、日本的性格について観察してみましょう。とくに、われわれの生活感情の中で、当然のことだと見すごされている、いやむしろ、美点だと安心されているようなものをこそ検討してみる必要があります。こういうものに、じつは、われわれの精神を惰性的にねむらせてしまう、不幸な原因があると考えられるからです。

　よくつかわれる言葉で、「謙虚」、「謙譲」というのがあります。きわめて日本的であると同時に、生活上の美徳となっています。「実るほど頭のさがる稲穂かな」なんていう通り文句まであって、人生の秘訣とされているのです。私なども小さい時分からそういうように教えられ、なんでもかまわないから頭をさげるということがよいことのように覚えこまされました。じっさいに、自分を主張したりすると、すぐに八方から抵抗がくるし、思わぬところに大敵をつくる。頭をさげてさえいれば、うるさいことや災難は文句なしにみんな頭の上を素通りしてしまうという、世渡り術の意味あいをもふくめて、封建時代から極意、鉄則として脈々とつたわってきているのです(警官に文句をつけられているときの、運転手の様子をごらんになったことがあるでしょう)。

なるほど、めったな場所で自分を主張しようとはしません。陰では、こそこそとたいへん愚痴(ぐち)っぽいのですが――。

「私なんか……」と頭をさげて、ついでにかゆくもない頭をかいてみせ、「へへへ」と笑ったりします。威勢のいい遊び人でも、「アッシア何某(なにがし)というケチな野郎でござんす」といった調子で仁義(じんぎ)をきり、女性は、「私みたいなおたふく……」と身をひく。ちょっとあらたまった人は、自分の女房、子どものことを「愚妻、豚児(とんじ)」というような表現をします。なるほど涙ぐましいほど謙虚をきわめています。言葉のうえではなかなかもってユーモラスです。日本人も洒落っけがあるものだと思いたくなりますが、ところで、そのまま無邪気に受けとったりしたらたいへんです。こういう「八の字」式文句でちゃんと責任をのがれている、というのはまだよいほうで、そういうことを言って相手を安心させておいて利用する、ほしいものだけはチャッカリつかむというような仕組みになっているのは、明朗どころではありません。

謙虚という「型」をたてに、そのかげで大ずる小ずるがまさに百鬼夜行です。こういうことについてはあなた自身今日まで十分に被害者だったでしょうし、または犯人だったに違いないのですから、あらためて説明するまでもなく、先刻ご承知でしょう。

権力者には無条件で頭をさげる。ちょうど封建時代に、しもじもの民衆が大名行列に出あうと、ただすわりこんで地面に頭をこすりつけるのと同じで、そうしていれば無事にすんだ時代の、厄のがれ気分が、まだまだ圧倒的にのこっているのです。自分を殺すということには慣れているわけで、そう見せておいて、消極的に生きのびることには、何百年来の習慣でそうとうみがきがかかっているのです。

絵をまだ見もしないうちに、「だれだれ先生の作品ですか、それはたいしたものだ」が、つい口に出たり、りっぱなものだと説明されたりすると、わからぬままに大いに関心ぶりを発揮する。「新しい絵などというものはインチキだ」と言っていた人たちが、ピカソ、ブラックなど、外国から時のモダンアートの権威が来るとそのたびにがらりと打って変わってたいへんすなおに、謙虚にほめたたえる。それればかりではない。それをカサにきて、「きみたちは大いに反省しなければならない」などと教訓めいたことまでぬかす。

このようなコメディーは、その後あちらから大、中、小作家がくるたびにくりかえされていることです。最近ではまた、時代の気配を見て、だいぶホコ先を変えているようです。このように、上にはペコペコし、下には弱いものいじめで、じゃけんにいびる小役人根性など、すべてこのたぐいの恥しらずなことが、みな謙譲、謙虚という美名のもとにかくれているのですから、たまったものではありません。

そんなことをここで、いちいち詮索（せんさく）したら、きりがないことです。

自分がやると公言すること

私は謙虚というものはそんな、人のまえで、おのれを無にするとか低く見せることでは絶対にない、むしろ自分の責任において、おのれを主張することだと断言します。

つまり、謙虚とは権力とか他人にたいしてではなくて、自分自身にたいしてこそ、そうあらねばならないことなのです。

私は、これを身をもって示し、この習慣的な偽善と退屈さをたたきつぶそうと思っています。そこで私は声たからかに、「おれこそ芸術家だ」「おれはピカソをのりこえている」と、まったく傍若無人に言いはなって、いわゆる「謙虚の徒」を呆然とさせるのです。しかし呆然としたのちに彼らは、これもまったく型どおりにせせら笑います。

私に同情して、「世の中なんて、なにもわかっちゃいないやつばっかりなんだから、そんなこと言ったって信用されるわけじゃなし、かえってバカにされるだけだ。損をするのはきみなんだから、まあ日本では調子をあわせ、人の前ではおとなしく頭をひくくして、てきとうにあしらっておいたほうがいい。そうすれば愛されもするし、たてまつられるものだよ」とか、「きみのようなことを言ったんじゃあ、日本では一流人物にはなれない。今までそんなやりかたで一流になれた人はいないんだから。日本というのは、そういうところなんだ」などとたいへん親切に忠告してくれる人もあります。

なるほど、今日の権威を見わたしても、大義名分の立つときとか、あるいは同調者のあるばあいには純情なまでに腹の底を見せますが、こと自分自身にかんしたり、または自分ただ一人によって守らなければならないもの、つまり、おのれだけが責任を負わなければならない、そして、それによってこの日本でたった一人孤立してしまうというようなことがら——そういうことは、じつに時々刻々に、われわれの目の前にあるのです——にかんしては、まったく謙虚になり無口になってしまいます。

そのように自分個人の責任にかんしては身をひく人こそ、順番さえ待てば権威、つまり一流人物になりあがることができるのです。おめでたい国がらです。

たしかに、日本的道徳では、一人でやるというのはよくないことのようです。どんなに正しいことでも、一人で主張したら絶対に成功しない。成功しないようなものは道徳的にも悪いのだと考えるのです。なるほどこれでは、まっ先にやったものは、ひどい目にあいます。だから一人でやる、先鋭に、おのれを主張するということがないのです。

したがって、この国の文化には責任の所在がどこにもない。奇妙なことです。戦争ちゅう、悲壮なおももちで、聖戦を一手にひきうけたような勇ましさだった文化人が、終戦後、とたんに、まるではじめから戦争反対者だったようなことを言う。——そう言えるという雰囲気はおどろくべきです。国をほろぼしても責任がないなんて、まったくもって、結構なお体裁にできあがっています。しかも引きつづいて権威の座に謙虚におさまっているのです。戦争に協力した、しないの事実はべつにしても、おのれの責任ということを抜きにして、文化なんて、まったくチャンチャラおかしい。

謙譲の美徳、「私なんかダメだけれど——」などと言うところからは、いかなる事実も出発できません。よく、日本は文化国家として立たなければならないと言います。これは大義名分ですから、だれでも安心して言うのです。そしてまたかならず、日本からだれかすぐれた文化人・芸術家が出なければならないという結論をくだします。「だれかが」なのであって、けっして「自分が——」ではないのです。そんなことを言うものは、謙譲の美徳の国のなかでは一人もいません。文化国家は美名です。しかしおたがいに責任をなすり合い、自分はのがれようとしている。そのために瞬間瞬間に、責任のありかが不明になっています。

「お互いに」とか、「みんなでやろう」とは、言わないことにしなければいけません。「だれかが」ではなく「自分が」であり、また「いまはダメだけれども、いつかきっとそうなる」「徐々に」という、一見誠実そうなのも、ゴマカシです。この瞬間に徹底する。「自分が、現在、すでにそうである」と言わなければならないのです。現在にないものは永久にない、というのが私の哲学です。逆に言えば、将来あるものならばかならず現在ある。だからこそ私は将来のことでも、現在全責任をもつのです。

そこで私は、きわめて朗らかに、「私はすでにピカソをのりこえている」と卑屈なインテリどもをくやしがらせているのです。「えらそうなことを言って」などと私をあざけるものがあれば、それはけっして私を傷つけるものではないので、彼らが彼ら自身にツバをかけていることと知らなければなりません。

自分がそうであると公言することは、けっして得することではありません。およそ、その反対です。ことに日本では、自分では言わないで人に言わせるというのが権威になる条件だからです。他人や仲間に言わせることの名人はたくさんいます。本人が言ったのでは——しかしこれが一番正しいはずなのですが——けっして信用したがりません。なまいきだと反感をもつか、せせら笑うか、いずれにしても、あとは意地わるく、いつ、つまずくかと楽しみに見物しているやつらばかりです。ここらが、いちばん日本的です。

公言は公約です。「おれこそ芸術家である」と宣言した以上、すべてそれ以後のわざわいは、おのれだけに降りかかってくるのです。だまっていれば無事にすんだものを。しかし、ノッピキならない立場に、自分を追いこまなければいけない。言ったばかりに徹底的に、残酷なまでに責任をとらなければなりません。言ったことが大きければ大きいほどそうなんです。

もし責任がとれなかったら、たいへんなアホウ、笑われ者になり、たちまち社会的信用を失ってしまいます。「世間はみんないいかげんなんだから、まあこのくらいで」などと調子をおろしたりすることはもちろん、人に同情を求めたり、よりかかったりすることはコンリンザイできません。あくまでも自分の言葉にたいして百パーセント責任を負わなければならないのです。だから、うぬぼれているどころではありません。

おのれ自身にたいしては逆に残酷に批判的で、つまり謙虚でなければならないのです。日本ではどうもこれをとり違えて、謙虚というのは他人にたいしての身だしなみくらいに思っている。だから、「いいえ、私なんか、とても……」などと言って安心させておいて、けっこう腹の中ではうぬぼれているか、でなければ、とことんまで卑屈になりさがっているかです。

自分を積極的に主張することが、じつは自分を捨ててさらに大きなものに賭けることになるのです。だから猛烈に自分を強くし、鋭くし、責任をとって問題を進めてゆくべきです。ただ自分を無にしてヘイヘイするという謙譲の美徳は、いまお話ししたように、すでに美徳ではないし、今日では通用しない卑劣な根性です。すでに無効になった封建時代の道徳意識の型が陰気に根づよくのこっているのです。よかれあしかれ、何ごとにつけても、まず飛び出し、自分の責任において、すべてを引きうける。こういう態度によってしか、社会は進みません。

たった一人で飛び出すもの

しかし、飛び出すことによって、自分の責任をとるというのは、容易なことではないのです。だから、みな「だれかがやらなければいけない」とか、「そういうときが来たらやるが、まだ時期ではない」とか言って、時代に先んじ、自分ひとりの信念で物事をやるという人がいない。これはたしかに、他の世界には見られない日本の特殊性であると思います。

終戦後まもないころでした。画壇は、戦前・戦中の惰性そのままで、新鮮さはみじんもなく、すべてがにぶい灰色一色。とほうもなくバカバカしい時代で、右を見ても左を見ても、ほんとうに何もなかった。私はその惰性的な不明朗さを、まず、身をもって打ちこわさなければ芸術はなりたたないと考え、新聞に爆弾的な芸術宣言を書いたのです。

「絵画の石器時代はおわった。——ほんとうの絵画は私からはじまる」というような文句で、それははじまっていました。発表されるまえに、この原稿を読んだあるジャーナリストが、「こんなものを活字にしたらたいへんだ。あなたは日本というところを知らないんだ。悪いことは言わない。おやめなさい。今からすぐ新聞社に電話をかけて、ことわっておしまいなさい。こんなものを出したら、あなたは破滅だ。たった一人で塹壕（ざんごう）からノーマンズランド（最前線のにらみあった塹壕と塹壕のあいだの死の地帯）に飛び出すようなもので、すぐに狙（ねら）い撃（う）ちされて、殺されてしまう。けっして悪いことは言わない、発表するのはやめたほうがいい」と言いました。

なるほど、そうにちがいないということはよくわかりました。しかし、だれかがやらなければ、この死んだようによどんだ空気からは何も始まらない。そしてそのだれかは、すでにふみ出した私自身だ。私がひいたら少なくとも現在何も始まらない。

——やや絶望的だったが、私は宣言を発表しました（一九四七年＝昭和二十二年八月二十五日、読売新聞）。

私が逆に説きふせるのを聞いて、そのジャーナリストもようやく感動し、「私はあなたといっしょに飛び出して死にたくはないが、しかし味方です。ぜったいに援護射撃はします」と誓いました。そして握手をして別れたのです。援護射撃は、けっきょくありませんでしたが。

私はこういう象徴的な例に出くわしたことがあります。

私が兵隊だった時分、漢口（ハンコウ）で居留民の子どもたちが大ぜい、棒きれを持ってケンカしているのを見ました。軍国主義はなやかなりしころで、しかも前線ですから、そういうことが多かったのでしょうが、日本の子どもたちが大ぜい、ワイワイ騒いでいる。見ると、相手は金髪のロシア人の男の子で、それがたった一人です。日本の子どもたちがかたまりになって、その子につめ寄ってゆくところなのです。しかし、その金髪の男の子にたいしてだれひとり、列を離れて飛び出し、向かってゆくものがいないのです。みんな肩をすりつけあって、その線を守っている。グチャグチャと左右を見ながら、たがいの肩のずれた分だけ、しだいに前ににじり出てゆく。

やや柄の大きい金髪の子どもは両足をひらいて立ち、一人で身がまえているのですが、いよいよみんなが近づいてくると見ると、パッと向かってゆく。とたんに、日本の子どもたちはクモの子をちらすように、ワッといっさんに逃げてしまうのです。そして安全な一定の距離までしりぞくと、一団はまたそこにかたまり、肩をくっつけあって、「なんだ、なんだ、毛唐なんか、やっちゃえ、やっちゃえ」と言って、ふたたび同じ態勢でにじり寄ってゆく。だが、やはりだれひとり、自分だけで飛び出してゆくものはいないのです。

けっきょく、ケンカはうやむやに終わってしまったのですが、当時の日本が狂的に宣伝し、自負していた日本男児、そしてその軍人精神とまったく正反対の姿を突きつけられて、印象的だったので、今でもはっきりおぼえています。日本の子どもたちの全部がそうだとは考えられませんが、しかしこの事実は、たしかに日本的性格のたいへん痛い部分をばくろしているようです。

古い権威とたたかいつづけながら孤立無援でいるとき、私はふと絶望的にその背景を思いだすことがあります。個人個人に会ってしたしく話をすると思いのほか純粋で、情熱的に、「やらなくちゃいけない。あなたのような人こそ大事なんだ」と言う。しかし、ほんとうに社会的に、効果的に発言し、力をあわせた人が、いったいあったでしょうか。こちらが公認されるまではおそらく、けっして危険なコトアゲはしないで誠実に、そして謙虚に、みんな時機を待っているのです。

さあやろう、と言ってラウンドのまん中に、ほんとうに飛び出したのは自分ただ一人。エイクソ！　こうなれば孤軍奮闘！　ところで前方の敵とわたりあっていると、意外な方向からオチョッカイが出て、ステンとひっくりかえされます。味方にちがいないと思っている背後のほうから、こっそりなにかしらんが伸びてきて、足をすくうらしいのです。バカバカしい。いったい、これを日本的というのでしょうか。しかし、このバカバカしさに、これからの人は、けっしてめげてはならないのです。

しおらしい卑屈さ

一九五三年、パリとニューヨークで個展をひらきました。出発するまえ、私はある場所で講演をしたのですが、いろいろ話をしたあとで、聴衆の一人から、「こんどあちらへ行かれて、何を得てこられるでしょうか？」という質問が出ました。「いや、こちらが与えにゆくんです」と、私が返事をしたら、満場がドッと笑いました。私はきわめてマジメに言ったのに、意外にも大笑いされて腹だたしくなりました。外国に行くといえば、何か得てくる、目新しいおみやげを持って帰るだろうと、まったく疑いもしないできめてかかる日本人の根性は、文明開化以来の卑屈な劣等感なのですが、今日の若い人たちは、どうなのでしょう。

私の見るところでは、まだまだそういう気分は根強くはたらいているようです。外国に行くなど別にめずらしくなくなっているのに、海外から帰ると、「あちらの動向はいかがでしたか、現代芸術の運命はどうなるでしょうか」などと質問される。

現在自分たちの生きている、このノッピキならない日本の現実、そのプラスの面マイナスの面について、なぜ、それ同様いやそれ以上真剣に考え、鋭敏にならないのでしょうか。

これは、今までの絵かきや文化人にも責任があるのです。ヨーロッパに行くと、かならず、むこうのできあいのなまな知識や、または流行型をそのまま取り入れた、俗にいう「滞欧作品」を持ちかえって、自慢げにひけらかすならわしがあります。だから一般の人もそういうものかと思ってしまうのです。しかし、くりかえして言うように、芸術はけっして型ではありません。いちばん根本の問題は、つねに現実と取りくむことにあるのです。自分とは、直接利害も関係もないあちらだけに現実があって、こちらには何もないかのようにふるまう、そんな態度からは何ごともはじまりません。われわれにとっての現実はここに、——われわれのところにこそあるのです。そのなまなましい息吹きを逆にこちらから、むこうに持ってゆき、異質のものにぶっつけて火花をちらす、それによって世界的な、そして真に今日的な問題がつかみとれるのです。

だから私がぶつけた作品は、戦後の数年間、孤立無援で悪戦苦闘してきた、その現実そのままであり、その記録です。当然、今日の日本の泥にまみれているでしょう。その特殊なにおいは、欧米の人間にはいちおう理解しにくいかもしれません。だが、それがたいせつなのです(言うまでもないことですが、むこうにはむこうなりの、泥のにおいがあります。だが、その特殊なにおいはやはり、その現実に生活している人間でなければ、ほんとうにはわかるものではないのです。ところが、日本の文化人とかインテリとかいう人たちは、よくわからないからこそ、それがたいへん高尚なありがたい芸術性だ、などとバカな解釈をするのです)。この日本の土のうえで戦った、泥だらけのものをこそそのまま、むこうに突きつけるべきです。大上段に。

気負いこんで一回や二回打ちおろしてみても、はたしてどれだけ向こうにヒビを打ち込むことができるか、それはわかりません。しかし大事なのは、打ちおろすことにあるのです。打ちおろさなければならないのです。何べんでも。でなければ、おのれにも他にも、芸術なんていう問題ははじまりません。

このように、明朗に、外国に与えにゆくという日本人がいるということ、それを象徴的にしめした私の態度は、自分ながら見上げたものだと思うのですが、それにたいして笑うという、骨の髄までしみこんだ卑屈さは鼻もちならないのです。

いまだに、そのときの私の言葉は、逸話のようになって残っているということです。「やっぱり岡本式だ」とか、なんとか言って、なにか私の専売特許のように考えられてしまうのは情けないと思います。どうして、みんながそういう気もちにならないのでしょうか。もちろん、与える以上は与えられるかもしれません。しかし、そんなことはともかくとして、まず与えるというだけの気分でぶっつからないかぎりは、むこうのものだってほんとうにはつかめないのです。日本の文化輸入における致命的な点です。与えるということは、何もうぬぼれを持つということではありません。きわめて平気な、ゆたかで、たくましい態度がほしいものです。

「外国人がほめた」

日本の文化人の外国に対するひがみは、もはや救いがたいほどになっています。やたらに外国だけをほめたたえて日本をけなしたり、かと思うとその同じ人が日本の美こそたいしたものだなどと、とたんに力(りき)んで、わざわざ古ぼけた形式をかつぎ出してきたりするのです。おのれをまったく無にして、あちらの流行のひきうつしにつとめ、新しがるのも、あるいはまた、「日本人が外国人のまねなんかしたって格好がつかない」とか、「日本には日本的なものがある」などと言って、新しいものにたいして否定的な態度を見せるのも、ともに劣等感のあらわれです。これは現代日本人の一種の精神病と言ってもよいのです。

日本的なものと西洋的なものとを妙に区別して意識するということは、やはりまちがっています。たしかに、われわれの生活している「日本」という現実はあります。しかし、それの「型」はないのです。

ところでおかしなことは、国粋主義者ほど日本のよさを主張するときに、「外国人がほめた」などという理屈に合わない証明のしかたをしたがるのです。これもまた卑下感です。まえにも述べたとおり、たとえ外国人がほめても、単なる鑑賞者や好事家の好奇心が、われわれ自身にとってどのくらい一義的であるかが問題です。しかも彼らの俗にほめたたえる「日本美」というものは過去の型であり、われわれが現在の責任において創っているものではないということを肝に銘じて考えるべきです。

なるほど外国人の鑑賞眼には、それだけの実績があります。たとえば、いまでは外国人が来ればかならず日光に案内するけれども、日光が騒がれはじめたのはドイツのブリンクマンやモース博士（一八三八―一九二五。アメリカの動物学者。一八七七年〈明治十年〉から二年間滞在。日本ではじめて貝塚を発見した）のおかげです。また、以前は反古のように扱われていた浮世絵や、二束三文でも買い手がなかった仏像なども、やはり明治になってフェノロサ（一八五三―一九〇八。アメリカの哲学者。一八七八年〈明治十一年〉来日。日本美術の価値の発見者）などがその美しさを認めてから、ようやくたいへんな芸術と考えられだしたのです（明治の初年には奈良の東大寺が三百円か五百円、興福寺の五重の塔が五十円とかで売りに出されたのに、だれも買い手がなかったということです）。ちかくは桂離宮も、ブルーノ・タウト（一八八〇

―一九三八。ドイツの建築家。一九三三年〈昭和八年〉日本訪問。国内各地の古建築を見学し、都市計画にも有力な助言をおこなった）が絶賛してから、急に一般が問題にしはじめました。

この外国人の発見した日本美というものは、それまでの日本人が考えていた日本的な美ではなかったのです。やはり外からの基準でとらえた美観と言わなければなりません。日本人はかえって日本美については徹底的に堕落していたわけです。今日だって同じですが。

だから、かつて外国人に教えられて、日本人自身が、伝統を新しい角度から再認識したことは事実です。これは、けっして悪いことではありませんが、しかしその基準に安心してよりかかってしまうということは、われわれにとってまさに危険です。なんといっても彼らを驚異的に惹きつけるものは、ものめずらしいエキゾティックな美形式です。つまり、特殊なものゆえに興味をしめし、そこに美を求めようとする傾向がつよいのです。

このような外国の基準によって目ざめさせられた「日本美」というものの多くは、彼らによろこばれる異国調です。今日、われわれが政治や経済、その他あらゆる一般生活のうちで現実的にはたしている、また、はたさなければならない世界的役割、そしてそういうものを土台とした生活感情からは切りはなされた、特殊な興味の対象になってしまうのです。

彼らが感心するのは、それが彼らのまったく持ちあわせていない美形式であり、新しい発見だからです。それは、たしかに彼らには現実的な栄養になるのです。しかし、われわれにとっては、まったく別な意味になります。ちょうど生物がつねに新鮮な異物を外からとり入れて、新陳代謝してゆかないと自分自身の排泄物で汚毒され、中毒するように、われわれはそれを批判し、のりこえて、むしろべつな新しい要素を積極的にとり入れてゆかないかぎり、どうしようもない頽廃におちいってしまいます。外国人の評価にうぬぼれて、あともどりなどしてはいられないのです。

日本の古典に価値をみとめる彼らの言動が、意識するしないにかかわらず、このわれわれの前進をむしろ引きとめる、古いものにくくりつけるように働いていることは事実です。こういう面を考えに入れないで、外国人の言うことだと素朴に信用して、いい気になるのは大まちがいです。

「らしく」ということ

よく外国人が日本をおとずれた感想に、「どうして日本は、あんなに欧米のまねばかりするのか。日本には、すぐれた伝統美があるのに」ということを言います。手ぢかな例から考えてみましょう。「日本の娘さんの優美なキモノ姿は、ほんとうにすばらしい。だが彼女たちが、あんなに美しいものを捨てて、ぶかっこうな洋装なんかするのは惜しい」などと、もっともらしい意見を吐きます。

しかし、こんな言葉をまともに聞くまえに、彼らの心理を考えてみる必要があります。一部の知識人をのぞいて一般に欧米人が夢みている日本――振袖(ふりそで)を着たムスメが日傘をさして立っている。遠景にはフジヤマ、桜の花ざかり、と思うと菖蒲(しょうぶ)が一面に咲いた池、そして小さい太鼓橋、赤い鳥居。これは外国むけに、おびただしく輸出される安手(やすで)の日本商品、まがいものの掛物や陶器にべたべた描かれてある日本の姿です。おそまきながら、若い世代によって、日本の正しい姿の伝達が努力されていますが、まだまだ、このズレは解消できません。

だから日本にやって来ても、それに似かよった風物を見たがります。また、日本人のほうもそれに迎合して案内につとめ、おみやげにフジヤマの額だとか、藤娘（ふじむすめ）の日本人形を贈ったりするのです。それも結構ですが、そういうものは現在の日本ではないし、これからの日本でもありえないのです。

新鮮な現実を突きつけないで、ただ外国人に迎合し、過去の夢のようなものだけを売りものにするということは、われわれの文化にとって、じつは屈辱的だと言わなければなりません。単なる観光とか、みやげもののばあいはともかくとして、文化一般、芸術にいたるまでこのようであったら、まさに致命的です。

日本の正当な近代化にたいしてケチをつけ、無責任に批判する外国人にたいして、私はよく逆にくってかかります。

「あなたがたは、日本の優美な過去の風俗がうしなわれてゆくことをたいへん惜（お）しむ。しかし、あなたがただって、優美ではなやかな過去の文化を産業革命や、悲惨な市民革命をやって、すっかりくつがえし、それと断絶して、そのあとに近代世界をうちたて、文化を作りあげたではないか」

「フランスにしても、イギリス、アメリカにしても、今日先進国として文化的優位にあるのは、つまり古い風俗習慣、伝統を大きな外科手術によって切りすてたからこそであり、今日では、とくにフランス的とか、イギリス的とかいうような、純粋な文化風俗はすでに失われている。芸術だって非ヨーロッパ的な、非フランス的な要素を強力に注ぎこみ、それによって固定化した古い伝統をすっかりくつがえしてしまった。だからこそ、今日、世界的な近代芸術が打ちたてられたのです」

「それなのに、どうしてわれわれだけは、近代化を非難されなければならないのか。なぜ日本だけが民族学の博物館か、極端にいえば動物園のオリの中にでも押しこめられているように、古い世紀の風俗のままで、あなたがたの好奇心を満足させなければならないのか」

彼らは二の句がつげないで、いつでもアップアップします。そして、この私の反撃にたいして、少しでも明確な返事を、今もって聞いたことがありません。しょせん、彼らにとっては他人ごとです。たとえ誠実なつもりでも、どれだけの責任をもっているか、はなはだ疑問です。

もっとも、彼ら旅行者の気もちがわからないことはありません。たとえば私たちでも、たまに京都とか奈良とかいうところへ見物に行くとすれば、やっぱり、いかにも京都らしいところ、奈良らしい気分を味わいたい。これは人情です。つまり、まえまえから頭の中に作りあげているイメージに当てはまるようなものを見たがるわけです。東山（ひがしやま）を背景にした鴨川（かもがわ）のほとりに、貧乏くさいコンクリートのビルなんかありがたくないし、駅前あたりにライスカレーや中華そばなんかを飾り窓に出した食堂がならんでいて、ズボンをはいた娘さんが、「イラッシャイ、イラッシャイ」などと呼びこんでいるのを見ると、たいへんゲンメツで、京都らしく着物に前垂（まえだ）れでもかけて、「おこしやす」と言ってくれれば気分が出ていいのに、と思います。

だが、この「……らしく」がくせものです。それは無責任な旅行者の言い分であって、そこに生活している人間にとってはなんの意味もない、むしろ迷惑な言いがかりにちがいありません。

考えてごらんなさい。京都がもし千年まえの王朝風俗のままで、電車も自動車も通らず、みやびやかな牛車（ぎっしゃ）にのったお姫さまやお公家さんがゴトリゴトリとゆうちょうに往（ゆ）き来（き）していたら、見物するものにとってはおもしろいにちがいありません。だが一年に一度か二度、お祭りのときにでも行列するのならともかく、この原子力時代のはげしい現代生活で、そんなことをやっていられるはずはないのです。だから古いよさが失われてゆくことを惜しむ頭の古い趣味人や、気ままな旅行者がいくら嘆こうが

（嘆くのはかってですが）、京都も奈良も、いや日本全体がどんどん変わってゆきます。変わらなければいけないのです。

もはや言うまでもありませんが、外国人の不満や忠告もこれと同じことで、フジヤマと桜とゲイシャガール、ムスメがキモノを着て、ゲタをはいて、日傘をさして、橋の上をカランコロン歩いているのを見ようと、楽しみにして日本まで来たのに、珍しくもないビル街のなかを、ヤボッたい洋装をした娘さんが、チョコチョコ歩いている、これじゃあ観光パンフレットの内容と違う――と、がっかりするのです。

彼らが短い日本滞在で吹く熱は、どう吹かしておいてもかまいません。だが、当の日本人がそれにひっかかって、現在生きている日本の文化を正しくもり立ててゆくことを忘れ、現実から浮いた土産物（スーヴェニア）むきに仕立ててしまうとしたら、こんなバカげたことはありません。ところが、こんなわかりきった誤りが、あんがいに文化の面でこそ大マジメで通用しているのです。

「日本には日本古来の美がある。それを守りつづけてゆかなければいけない。モダンアートなんか外国のまねだ」とかいう説は、このたぐいです。こういう伝統主義者には、功労章として一人一人にチョンマゲをゆわせることにきめたらどうかと思うのです。

伝統というものは過去のものだと安心していてはなりません。われわれが現在において新しく作るものです。それは当然過去を否定し、それをのりこえて、つねに創りつづけることです。逆説的に聞こえるかもしれません。しかし、これは論理であり、正しいのです。

「伝統」はやはり芸術と同じく、つねに過去を否定することによって強く生気をみなぎらせてゆくものであって、伝統を単に過去のものとして考え、自分で責任をとらず、それによりかかることは、伝統そのものを骨董化して殺してしまうことです。まちがった伝統主義者がはびこって、どんなに若い日本の情熱のすこやかな流れをはばんでいることでしょうか。われわれは今日、猛烈な超近代的意識をもって、まちがった伝統意識を切りすて、自分たちの責任において新しい文化を創りあげてゆかなければなりません。

さて、まだお話ししたいことは山ほどあります。いちおう、ここで筆をおかなければならないのが残念ですが、あとは続編にゆずることにします。

続編は近代芸術の技術・歴史を中心に説明し、問題をより具体的に発展させる予定です。この本で言いのこしたこと、言いたりなかったことは、その中につぎこんで、われわれにとって真の芸術の意義をさらに明らかにしてゆきたいと思います。

編集部註——最終の五行分の文章は、『日本の伝統』文庫発刊にあたり、著作権継承者了承のもと、当初未収録分を十八刷分より再収録したものです。

解説――岡本太郎を読んだ若者

赤瀬川原平（画家・作家）

岡本太郎の『今日の芸術』は、一九五〇年代の若い画家たちに、強い影響を与えた。若い画家というより、画家志望の若者たちというべきか。読書が不器用で苦手なぼくでさえも読んで、勇気づけられ、「前衛への道」をそそのかされたのだから、大変な力を持っていた。

それがしかしカッパ・ブックスの一冊だとは気がつかなかった。でもこの新書判だからこそ手に取りやすく、これなら読める、という気にさせてくれたのだろう。
それと岡本太郎の具体性のある文章が、何といってもぐいぐいと読ませてくれた。言ってはならないことや、遠慮することや、少しオブラートにくるんだりということがまるでなくて、え？　そんなこと言ってもいいの？　え？　大丈夫？　と驚いた拍子にどんどん読んでしまう。何だか手品の種明かしを見せられるみたいに、え？　そうなっていたのか、そういうトリックがあったのか、と「芸術の実態」に感心しながら、どんどん次へ進んでしまう。とても出来ないと思っていたことが簡単に出来るんだという感じで、非常に勇気を与えられ、煽動させられるのだった。

そういうぼくらの反応は、やはりその時の時代の空気と不可分だろう。

ぼくはたしか高校を出て上京したばかりだった。武蔵野美術学校というのが吉祥寺にあって、いまは鷹の台の方で大きな大学になっているが、とてもそんなものではなかった。油絵科の学生が過半数で、彫刻科が少し、日本画科がもっと少し、それに図案科がほんのわずかの二、三人。当時はデザインという言葉さえもなかったのだ。

いまはむしろ油絵科よりもデザイン科の方が断然多くて、花形となっている。油絵はむしろもったりとしたゾーンになっているのではないか。

いまは吉祥寺の駅は大変な大きさで、人口密度も凄いものだが、当時はほんの小さな、田舎の無人駅にも匹敵するような規模のもので、駅員の隙を見てホームからタダで出たりしていたが、もういまはムリだろう。

そんな時代に、この本は画家志望の若者たちに競って読まれた。ぼくはどこでどういうふうに読んでいたか忘れたが、いまちらっと読み返してみると、当時の空気がまざまざと思い出される。食べ物の匂いを嗅（か）いで、たちまち当時を想い出すことがある、あの感じに似ている。

ぶっつかる
はげしい意志
常識を否定し
のり越えて
ギラギラ
裂（さ）け目（め）
とことんまで
身ぶるいするような

こういう岡本太郎の言葉が、この本の中には充満（じゅうまん）している。いまのパソコン世代が読んだらどう思うだろうか。ぼくはパソコンはいじらないが、しかし何しろいまは「老人力」の現在だから、何だか感慨無量（かんがいむりょう）のものがあるのだ。岡本太郎の言葉をもってすれば、正に「対極」の位置にある。でも不思議に違和感はない。いま現在「老人力」で推進中の自分のルートを遡(さかのぼ)ってみれば、その初速のスピードはこの本にコツンと背中を後押しされたことによっている。

もちろんほかにも花田清輝(はなだきよてる)の本や何か、そのころにいろいろ加速する力を得た本はあるのだけど、頭だけでなく体もいっしょに加速されたのはやはりこの岡本太郎の本だ。

料理でいうと非常に食べやすいというか、消化が早いというか、脂(あぶら)っこくて胃にもたれてしばらく動けないというようなことはまるでない。

ウィンブルドンのテニスの試合など見ていると、休憩時間にベンチに戻る選手たちはよくバナナを食べている。あれは短時間で消化してカロリーをムダなく得やすい食品だからだそうだ。

それと同じように、岡本太郎のこの本は非常に実戦的な、消化吸収の凄くいい本だった。読んで頭にもたれるということがなく、読んだものが現実面ですぐにエネルギー転換する、という印象である。

とにかく芸術世界を手の届くすぐそばまで引き寄せるのに凄い力があった。これは論理の積み重ねだけでは出てこない現象である。読んだものは、理解するというより共感する。この筆者の言葉の内側にまでですとんと運ばれてしまう。あとは実行するだけという気分が残るのだ。

　この本が出たすぐ後ぐらいだったと思うが、東京の日本橋にある髙島屋で「世界・今日の美術展」というのが開かれた。題名からして岡本太郎のプロデュースだと思われるが、これも若い画家、あるいは画家志望の若者たちの話題だった。当時もっともシュンの美術といわれたアンフォルメルを中心とした抽象絵画の世界美術展である。ぼく自身は抽象絵画というスタイルにいま一つぴたりとくるものを感じなかったんだけど、何しろシュンなので、吸い込まれるように見に行った。何故ぴたりとこなかったかというと、もっと絵画の外に出るものを夢想していたというか、外に出たところで芸術と科学との交差点を探りたいというような気持があった。もちろん当時はそんな言葉の論理など持っていなくて、気持だけだ。その気持はこの岡本太郎の本の手助けを得て、ぼくの中で培養(ばいよう)されていたものなのだろう。

　でもそんな気持があったので、当時シュンだったアンフォルメルを凄いという雰囲気に飲まれながらも、どうもそのキャンバス上での表現表現したところが、何かいかにもというふうにも感じられて、ちょっと浮かぬ顔をしていたのだった。

その展覧会のためにジョルジュ・マチュウが来日していて、白木屋だったか松屋だったかデパートのショウウインドウの中で公開制作をやるという。これはやはりというので、荒川修作といっしょに見に行った。通りの角に面したウインドウの中に横長の大きなキャンバスが用意されていて、床にシートが敷かれ、たくさんの絵具類が並んでいる。

登場したマチュウは浴衣を着て袖を襷がけの、頭に鉢巻きなので、何だかいかにもフジヤマ芸者で、ちょっと芸能界みたいで不満だったが、その大ガラスのウインドウを囲んで若者が二、三十人、あるいは四、五十人が来ていたかもしれない。カメラを構えた報道陣もいっぱい。マチュウは筆も使うが、しまいにはチューブから直に絵具をむにゅーっと出してキャンバスに線を引く。それを凄い勢いで、キャンバスの前を走り抜けて、端に行ってすてんと転んで、前にいる若者たちが一斉に立ち上がる。後ろのぼくたちは見えなくなって、荒川が、

「君たち、見えないぞ！　ちゃんと坐り給え！」

と何か小説の中の正しいセリフみたいに叫んでいたのを想い出す。後にいっしょにネオダダのグループを作るわけだが、そこで知り合う篠原有司男もたしかその場にい

たはずだ。そうだ、先輩の吉村益信もいっしょだったような、だんだん想い出されてくるが、それ以上はなかなか。でもそのわずか何十人の野次馬の中には、かなりの高密度で岡本太郎『今日の芸術』の読者が混じっていたはずである。ほとんど全員ではなかろうか。

現場にいるとやはり昂奮するもので、そうか、これが、激しさ、ギラギラ、否定、ぶつかる、裂け目、とことん、なのかと岡本太郎の言葉がちらちら交差しながら、でもちょっといかにもだなと思っていた。それよりもばんばんと放り投げる太い絵具チューブをどうしても横目で見てしまって、もったいなかった。若者というのはいつの世もヒネているものである。

昔のことばかり書いたが、この本は昔のことを書いたものではない。今のことを書いたものである。今の問題というのはそう簡単に変化しないもので、読み返しながらそれをつくづくと感じた。

たしかにこの本の書かれた時代と違って、前衛芸術の概念は、いまや市民レベルで展開されていて、町の路上にも、とんでもない、ギラギラ、否定、といった装いの造形物があふれてはいる。道行く若者は茶髪、長髪、スキンヘッド、鼻輪、といった、否定、とんでもない、ギラギラという恰好に満ちあふれている。では岡本太郎のいう世の中になったのかというと、気分では違うのである。いわゆる前衛芸術的なやりくちがあふれた結果、それがただのふつうのスタイルになっているのだ。前衛芸術は誰もがやるもっともふつうのスタイルになることで、どこかへ蒸発してしまったのである。

なんだか歴史の皮肉のようなものを感じてしまう。いまの世の民主主義の恐ろしさというものかもしれない。芸術の価値が特権的であることを否定して、誰もがやるべき、自分の革命を主張した限りでは正しいはずのことが、その結果のところでそもそもの主張が無に帰してしまう。

みずから掘り起した革命ロシアから、遂には追放されてしまうトロツキーの悲哀を思い出す（ゴルバチョフもそうだった）。

いやそんなのはこちらの勝手な連想だけど、この本の中では「新しいといわれればもう新しくない」ということで、流行には創り出す面とマネをする面の二つの面がある、という分析が既に組み込まれているのだ。この本を通じていわれていることは、今の問題はいつの世も未来形としてある、今の形としてはあり得ない、ということではないだろうか。

岡本太郎はテレビのお陰で、目玉ギョロリの爆発おじさんという印象だけで固定されているかもしれないけれど、この本はじつに明晰（めいせき）な論理をもって書かれている。

一九五四年　光文社刊
一九九九年三月　光文社知恵の森文庫刊

※本書の本文中に、職業や性差・性別、および身体的な特徴や疾病について、今日の人権擁護の観点からすると不快・不適切とされる呼称が使用されています。また、特定の国や人種・民族、地域について、偏見や、これに基づく誤解とされかねない表現が一部に用いられています。しかしながら、本書が成立した一九五四年（昭和二九年）当時の時代背景、および作者がすでに故人であることを考慮した上で、これらの表現についても底本のままとしました。差別の助長を意図するものではないということを、ご理解ください。

【編集部】

光文社文庫

今日の芸術　時代を創造するものは誰か　新装版
著者　岡本太郎

2022年7月20日　初版1刷発行
2024年11月30日　3刷発行

発行者　三宅貴久
印刷　新藤慶昌堂
製本　ナショナル製本

発行所　株式会社　光文社
〒112-8011　東京都文京区音羽1-16-6
電話（03）5395-8149　編集部
8116　書籍販売部
8125　制作部

ISBN978-4-334-79311-1　Printed in Japan

組版　新藤慶昌堂